¡Buenos

An Illustrated Spanish Course

Part 1   Pupil's Book

A. J. Bennett

HODDER AND STOUGHTON
LONDON SYDNEY AUCKLAND TORONTO

Illustrations by Celia Weber

ISBN 0 340 19624 6

First published 1977
Ninth impression 1987

Copyright © 1977 A. J. Bennett

Printed in Great Britain for Hodder and Stoughton Educational,
a division of Hodder and Stoughton Ltd, Mill Road, Dunton Green, Sevenoaks, Kent
by Page Bros (Norwich) Ltd

Introduction

The aim of this book is to help those teachers of Spanish who wish to teach orally and avoid the use of English as much as possible. Meaning is conveyed by pictures, by the logical order in which vocabulary items and structures are introduced and by continual redeployment of known language in different situations. In this way pupils are encouraged to see that Spanish is a means of communication in its own right and will reach the stage of thinking in Spanish more quickly than they would do otherwise.

In an orally based method of language teaching two approaches are possible: drill-like repetition, which soon becomes meaningless, or questions in a context offering the pupil controlled choice, by which meaning is enhanced. The central principle on which this book is based is the latter. The intention is, therefore, that the questions should be regarded as the most important exercise or means of work, that they should be thoroughly mastered before going on to subsequent material and that they should be practised orally before being written by the pupils. If this is insisted upon, the confidence of the pupils and their rate of learning will be greatly improved.

The major criterion for the choice of vocabulary and structures has been relevance to the life of the pupil. This provides the pupil with an increasing amount of language with which to express himself and refer to his own experience. A glance at the list of topics of interest will show that the content of the book is linked together and, with Part 2, provides a continuous series of events based on an English girl's holiday with a Spanish family. I have tried to blend the two contrasting aspects of structure and situation as equally as possible.

Each chapter introduces on average ten new words. Easily recognisable cognates are not included in this count but are introduced wherever possible to widen the range of usable language as quickly and efficiently as possible.

Exercises

The questions are arranged throughout the book in two ways. Under each text are the third-person questions relating to the pictures and text, while those under the heading 'Conversación' are the second- and first-person forms which directly relate the language to the pupil himself. In this way the most important parts of the verbs are systematically taught, and a gradual build-up of both narrative and dialogue forms is achieved.

During the first ten chapters I have suggested a scheme of exercises so that a definite sequence through the skills is established.

Comprehension: The pupils cover the text and, looking at the pictures, listen to the teacher making the statements in the text. In this way they automatically have repeated and graded practice in aural comprehension.

Speaking: The teacher decides how many questions to use and works through them thoroughly until security and flexibility are established.

Reading: The pupils now read the text with more or less help from the teacher, and spell any difficult words in Spanish so that their attention is drawn to spelling and accents.

Writing: The pupils copy the questions and answers from the board. As they gain in fluency and accuracy and the question forms become well known they can write the answers without copying or writing the questions.

Composition Writing: The answers produced then become the basis for work in composition. Composition starts from the very beginning of the book and becomes explicit as an exercise in Chapter 24.

Every topic selected refers to work done previously, the time-lag systematically reducing as the book proceeds. Average pupils can refer back to the questions in the earlier chapters and keep strictly to the language learnt there. More adventurous pupils can freely add any other language which they are sure they know and which they feel is relevant. Basically what I have in mind is paragraph writing based on small, connected sequences of language which have been committed to memory.

It cannot be emphasised too greatly that composition cannot be learnt at the last minute just before an examination, but, like all the language skills, needs constant practice and cultivation from the start, and in small amounts.

Structure Tables: These have been included to revise important language patterns and to provide a great deal of practice in sentence writing. They are meant to be easy and can be prepared orally before the pupils are asked to write sentences from them. They can be made more demanding by asking the pupils to supply further items in the last column from their own memory.

I have excluded exercises of the gap-filling kind because I believe language work should be done in meaningful wholes, or sentences; and I suspect that exercises which entail simple word manipulation are a serious waste of time and inhibit fluency.

Reference
A summary of the grammar has been included for pupils who might like to see the language structures tabulated in this way. The verb tables will be useful to refer to for spelling changes. The purpose of this book, however, is to provide graded, meaningful practice in the use of the language in such a way that a feeling for the language is developed by directly experiencing it. Finally, a Spanish–English vocabulary is provided. This gives only equivalents which relate to the contexts in this book.

Teacher's Books
These are provided for both Part 1 and Part 2. They contain additional suggestions on the methods of teaching with the course and notes on

individual lessons with new structures and vocabulary listed for each lesson. In addition, answers to the questions are provided so that pupils who need extra practice or who wish to work on their own can do so independently of the teacher. Adults learning on their own can also use the teacher's book as a key in connection with the tapes of the texts, questions and answers which have been recorded by native speakers. In this way the course offers a flexible range of approaches to the learning of Spanish.

There has been no attempt either to include extensive or rapid reading material. This is because I feel it is very important that teachers should regard a library approach to this skill as imperative and that it is unreasonable to expect a single course book to provide sufficient reading material. This is especially important for faster pupils who can be held back unnecessarily if the teacher insists on a class approach with everybody reading the same material at the same time. For sources of reading material the lists published by the Centre for Information on Language Teaching and Research are invaluable. Some explanation of the way I have used the *usted* and *tú* forms is perhaps necessary. For the pupil, *tú* has been used, and for the teacher *usted*. For the pupil and his friends in class, I have used *vosotros*, and for the pupil and his family, *ustedes*.

I should like to take this opportunity to acknowledge my indebtedness to Mark Gilbert, my former tutor, whose approach to language teaching I admire and have freely adapted here to the teaching of Spanish. I should also like to thank the many teachers and students, and friends in Spain, who have offered their help, encouragement and criticism. I am especially grateful to Dr Alfredo Solla for his lucid explanations of the subtleties of spoken Spanish which have enabled me to solve many difficult problems, which always arise when one tries to organise and fix what is a living means of communication. Finally, I wish to thank my illustrator, Celia Weber, who with humour and skill has enhanced the book with meaning and charm.

A.J.B.

Contents

1 uno

A Es María.
B Es José.
C Es el señor Moreno.
D Es la señora de Moreno.
E Es la señorita Castro.

Sí o no, señor (señora, señorita)
A ¿Es María?
B ¿Es José?
C ¿Es la señorita Castro?
D ¿Es el señor Moreno?
E ¿Es la señora de Moreno?

¿Quién es?
A Es María.
B Es . . . . . .
C Es . . . . . .
D . . . .
E . . . .

Conversación
Profesor: Yo soy el señor . . .
¿Quién eres tú?
Alumno(a): Yo soy Eduardo (Gloria) etc.
Profesor: ¡Buenos días, Eduardo!
Alumno: ¡Buenos días, señor!
(*Continuar con cada alumno.*)

2 dos

A   B   C   D

La familia Alonso

A Es una chica.
    Es Rosita Alonso.
B Es un chico.
    Es Pedro Alonso.
C Es un hombre.
    Es el señor Alonso.
D Es una mujer.
    Es la señora de Alonso.

Preguntas

1 ¿Quién es la chica?
2 ¿Quién es la mujer?
3 ¿Quién es el chico?
4 ¿Quién es el hombre?

Conversación

Profesor (*señala a una alumna*):
      ¿Quién es ella?
La clase: Ella es Dolores.
Profesor (*señala a un alumno*):
      ¿Quién es él?
La clase: Él es Arturo.
Profesor: ¿Quién es Ignacio?
Ignacio: Soy yo.
Profesor: ¿Quién es el señor . . . ?
      Él o yo?
La clase: Usted.

Lee el texto con el profesor.

Deletrea las palabras en español:
alumno, profesor, señorita, buenos, días, conversación, yo, Yo, usted, Usted, él, el, hombre, mujer, familia, José.

3

3 tres

A Aquí hay un mapa de Inglaterra. Londres está en Inglaterra. Es la capital de Inglaterra. Tom Williams es de Londres. Vive en Wimbledon.

B Aquí hay un mapa de Francia. París está en Francia. Es la capital de Francia. Monsieur Duclos es de París. Vive en St Denis.

C Aquí hay un mapa de España y Portugal. Madrid está en España. Es la capital de España. La señora de López es de Madrid. Vive en Móstoles.

Preguntas

1 ¿Quién es de Londres?
2 ¿Quién es de París?
3 ¿Quién es de Madrid?

4 ¿Qué es París?
5 ¿Qué es Madrid?
6 ¿Qué es Londres?

7 ¿Dónde está Madrid?
8 ¿Dónde está Londres?
9 ¿Dónde está París?

10 ¿Cuál es la capital de Francia?
11 ¿Cuál es la capital de España?

12 ¿Cuál es la capital de Inglaterra?

13 ¿De dónde es la señora de López?
14 ¿De dónde es Tom Williams?
15 ¿De dónde es Monsieur Duclos?

16 ¿Dónde vive Tom Williams?
17 ¿Dónde vive Monsieur Duclos?
18 ¿Dónde vive la señora de López?

Conversación

Profesor: Yo soy el señor . . . . ¿Quién eres tú?
Alumno: Yo soy . . . .

Profesor: Yo soy de . . . . ¿Eres tú de París?
Alumno: No, yo soy de . . . .

Profesor: Yo vivo en . . . . ¿Dónde vives tú?
Alumno: Yo vivo en . . . .

Profesor: Yo estoy en Inglaterra.   ¿Estás tú en España?
Alumno: No, yo estoy en . . . .

Profesor: ¿Quién es el profesor, él o yo?
Alumno: Usted.

Profesor: ¿Quién es el alumno, tú o yo?
Alumno: Yo.

Lee el texto con el profesor.

Deletrea las palabras:
Inglaterra, Francia, España, López, dónde, cuál, estoy.

Copia las preguntas y escribe las respuestas.

5

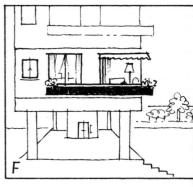

A Aquí hay una mujer y una casa.
La mujer está en la casa.
C Aquí hay un chico y un parque.
El chico está en el parque.
E Aquí hay una plaza y una ciudad.
La plaza está en la ciudad.

B Aquí hay una chica y un colegio.
La chica está en el colegio.
D Aqui hay un hombre y una calle.
El hombre está en la calle.
F Aquí hay un piso y un edificio.
El piso está en el edificio.

4 cuatro

Preguntas

1 ¿Qué hay en el dibujo A?
2 ¿Qué hay en el dibujo B?
3 ¿Qué hay en el dibujo C?
4 ¿Qué hay en el dibujo D?
5 ¿Qué hay en el dibujo E?
6 ¿Qué hay en el dibujo F?
7 ¿Dónde está la mujer?
8 ¿Dónde está la chica?
9 ¿Dónde está el chico?
10 ¿Dónde está el hombre?

11 ¿Dónde está la plaza?
12 ¿Dónde está el piso?
13 ¿Qué es Birmingham?
14 ¿Dónde está?
15 ¿Qué es Hyde Park?
16 ¿Dónde está?
17 ¿Qué es Leicester Square?
18 ¿Dónde está?
19 ¿Dónde está Bordeaux?
20 ¿Dónde está Barcelona?

Conversación

1 ¿Quién eres tú?
2 ¿Eres profesor?
3 ¿De dónde eres tú?
4 ¿Dónde vives tú?
5 ¿Vives en un piso o en una casa?
6 ¿Dónde estás ahora? ¿En el colegio o en casa?
7 ¿En qué calle vives?
8 ¿Estás en Barcelona ahora?
9 ¿Dónde está tu casa?
10 ¿Está tu colegio en una plaza o en una calle?

Lee el texto con el profesor.

Deletrea las palabras:

colegio, parque, calle, ciudad, edificio, palabras, vives, ahora.

Copia las preguntas y escribe las respuestas.

7

A En este dibujo hay un árbol y una montaña.
El árbol está en la montaña.
C Aquí hay un lápiz y una caja.
El lápiz está en la caja.
E Aquí hay una flor, un florero y una mesa.
La flor está en el florero y el florero está en la mesa.

B Aquí hay el campo y una casa.
La casa está en el campo.
D En este dibujo hay una caja y u[n] pupitre.
La caja está en el pupitre.
F Aquí hay un libro, una silla y un jardín. El libro está en la silla y la silla está en el jardín.

8

5 cinco

Preguntas
1 ¿Qué hay en el dibujo A?
2 ¿Qué hay en el dibujo B?
3 ¿Qué hay en el dibujo C?
4 ¿Qué hay en el dibujo D?
5 ¿Qué hay en el dibujo E?
6 ¿Qué hay en el dibujo F?
7 ¿Dónde está el árbol?
8 ¿Dónde está la casa?
9 ¿Dónde está el lápiz?
10 ¿Dónde está la caja?
11 ¿Dónde está la flor?
12 ¿Dónde está la silla?

Conversación
Profesor: Estoy de pie. Ahora estoy sentado en la mesa (en una silla).
1 ¿Dónde estás sentado(a)?
2 ¿Dónde estás ahora, en el colegio o en casa?
3 ¿Vives en el campo o en la ciudad?
4 ¿Eres un alumno o una alumna?
5 ¿Quién es alumna, él o ella?
6 ¿Quién es alumno, él o yo?
7 ¿Qué hay en tu casa?

Lee el texto con el profesor.

Deletrea las palabras:
árbol, montaña, lápiz, caja, casa, florero, jardín, silla, ciudad.

Copia las preguntas y escribe las respuestas.

9

6 seis

Este chico se llama Carlos y esta chica se llama Ana. Él está sentado a la izquierda y ella está sentada a la derecha. La profesora, doña Lola, no está sentada. Está de pie.

Aquí está el libro (**A**) de Carlos. Está a la izquierda de su lápiz (**B**). Su lápiz está entre su libro y su cuaderno (**C**).

Aquí está la goma (**D**) de Ana. Está a la izquierda de su regla (**E**). Su regla está entre su goma y su pluma (**F**). El cuaderno de Carlos está a la derecha de su lápiz y la pluma de Ana está a la derecha de su regla.

Preguntas

1 ¿Cómo se llama el chico?
2 ¿Cómo se llama la chica?
3 ¿Cómo se llama la profesora?
4 ¿Qué hay en la mesa del alumno?
5 ¿Qué hay en la mesa de la alumna?

6 ¿Está Ana de pie?

7 ¿Está Carlos de pie?

8 ¿Dónde está el cuaderno de Carlos?

9 ¿Dónde está la pluma de Ana?

10 ¿Está la profesora de pie?

Conversación

Profesor: Me llamo el señor . . . . .

1 ¿Cómo te llamas tú?	Me llamo María.
Dame tu regla, por favor . . .	Gracias, María.
¿Qué hay aquí?	Hay una regla.
¿Es tu libro, María?	No, señor, es mi regla.
¿Dónde está tu regla ahora?	Está en mi pupitre.
	Está en el pupitre de Basilio.

2 ¿Cómo te llamas tú?	Me llamo Pedro.
Dame tu libro, por favor . . .	Gracias, Pedro.
¿Qué hay aquí?	Hay un libro.
¿Es tu cuaderno, Pedro?	No, señor, es mi libro.
¿Dónde está tu libro ahora?	Está en mi pupitre.
	Está en el pupitre de Juan.

(*Continuar con otras cosas en la clase.*)

3 ¿Es el pupitre de Marta?	No, es su silla.
¿Es la goma de Luisa?	No, es su cuaderno.
¿Es el lápiz de Arturo?	No, es su pluma.

Lee el texto con el profesor.

Deletrea las palabras:

sentado, sentada, gracias, izquierda, cuaderno, María.

Copia las preguntas y escribe las respuestas.

 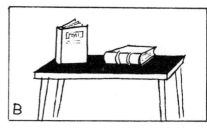

A En la silla hay un libro.
B En la mesa hay dos libros.
C En el jardín hay una chica.
D En la calle hay tres chicas.
E En la mesa hay una flor.
F En el florero hay cuatro flores.
G En la montaña hay un árbol.
H En la plaza hay cinco árboles.
J En la montaña hay una casa.
K En la aldea hay seis casas.

12

7 *siete*

Preguntas 1

A 1 ¿Qué hay en la silla?

C 2 ¿Qué hay en el jardín?

E 3 ¿Qué hay en la mesa?

H 4 ¿Qué hay en la plaza?

B 5 ¿Qué hay en la mesa?

D 6 ¿Qué hay en la calle?

F 7 ¿Qué hay en el florero?

K 8 ¿Qué hay en la aldea?

Preguntas 2

1 ¿Dónde está el libro?

2 ¿Dónde está la chica?

3 ¿Dónde están las flores?

4 ¿Dónde está la casa?

5 ¿Dónde están los libros?

6 ¿Dónde están las chicas?

7 ¿Dónde están los árboles?

8 ¿Dónde están las seis casas?

Preguntas 3

1 ¿Cuántos libros hay en la silla?

2 ¿Cuántos libros hay en la mesa?

3 ¿Cuántas chicas hay en el jardín?

4 ¿Cuántas chicas hay en la calle?

5 ¿Cuántas flores hay en el florero?

6 ¿Cuántos árboles hay en la montaña?

7 ¿Cuántas casas hay en la aldea?

8 ¿Cuántos árboles hay en la plaza?

En una ciudad hay muchas casas y muchos edificios.

En el campo hay pocas casas y pocos edificios.

Preguntas 4

1 ¿Cuántas puertas hay en la clase?

2 ¿Cuántas ventanas hay, y cuántas pizarras?

3 ¿Cuántos alumnos hay en el colegio?

4 ¿Cuántos(as) hombres (mujeres) hay en la clase?

5 ¿Cuántos árboles y cuántas montañas hay en la clase?

6 ¿Hay muchas montañas en Inglaterra?

7 ¿Hay muchos o pocos árboles en Francia?

8 ¿Hay pocas o muchas casas en Londres?

9 ¿Hay pocos o muchos edificios en la Ciudad de Méjico?

10 ¿Hay pocos o muchos pisos en el campo?

13

8 ocho

Esta es una clase en un colegio. Las chicas se llaman Queti, Victoria y Raquel, y los chicos Federico, Pedro y Luis.
Queti está a la izquierda de Victoria.
Raquel está a la derecha de Victoria, y delante de Luis.
Victoria está entre Queti y Raquel, y delante de Pedro.

Federico está a la izquierda de Pedro y detrás de Queti.
Luis está a la derecha de Pedro y detrás de Raquel.
Pedro está entre Federico y Luis y detrás de Victoria.

El profesor está de pie delante de la pizarra. Se llama don Felipe. El bolígrafo del profesor, el borrador y la caja de tiza están en la mesa. La puerta de la clase está a la derecha y la ventana está a la izquierda.

Preguntas

1 ¿Es una clase o una familia?
2 ¿Cómo se llaman los chicos y las chicas?
3 ¿Cómo se llama el profesor?
4 ¿Quién está sentada entre Queti y Raquel?
5 ¿Quién está de pie?
6 ¿Dónde está sentado cada alumno y cada alumna?
7 ¿Dónde está don Felipe?
8 ¿Dónde están la puerta y la ventana?
9 ¿Cuántos chicos y cuántas chicas hay en la clase?
10 ¿Cuántas personas hay en la clase?

Conversación

1 ¿Cómo te llamas?
2 ¿De dónde eres?
3 ¿Dónde vives?
4 ¿Dónde estás ahora?
5 ¿Dónde estás sentado(a)?

Lee el texto.

Deletrea las palabras:
jardín, jardines, árbol, árboles, cuántos, cuántas, ciudad, borrador,
se llama, bolígrafo, delante, detrás, pizarra, ventana.

Deletrea el alfabeto:
a b c ch d e f g h i j k l ll m n ñ o p q
r rr s t u v w x y z

Copia las preguntas y escribe las respuestas.

15

9 *nueve*

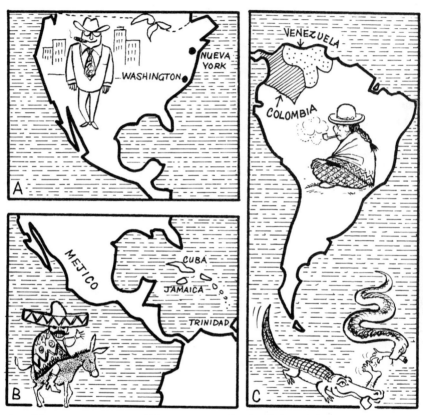

Aquí hay tres mapas, (**A**) un mapa de América del Norte, (**B**) otro mapa de América Central y las Antillas, y (**C**) otro de América del Sur.

Inglaterra es una isla. Cuba, Trinidad y Jamaica son también islas.
Francia es un país de Europa.
Francia, España y Portugal son países de Europa.
Méjico, Venezuela y Colombia son países de América.

Londres, París, Madrid y Lisboa son capitales.
Birmingham y Barcelona son ciudades.
Trafalgar Square y Leicester Square son plazas.

16

Preguntas

1 ¿Qué son Jamaica y Cuba?
2 ¿Qué son Chile y Ecuador?
3 ¿Qué son Londres y La Habana?
4 ¿Qué son York y la Ciudad de Méjico?
5 ¿Qué son Trafalgar Square y Leicester Square?
6 ¿Qué son el Everest y el Mont Blanc?
7 ¿Qué son el Retiro y el Hyde Park?
8 ¿Qué hay en una ciudad; un parque; un colegio; el campo;
un edificio; una calle; una clase; una aldea?

Conversación

1 Dame tus libros, por favor . . .   Gracias, María.
  ¿Qué hay aquí?   Hay dos libros.
  ¿Son tus reglas, María?   No, señor, son mis libros.
  ¿Dónde están tus libros ahora?   Están en mi pupitre.
    Están en el pupitre de Basilio.

2 Dame tus reglas, por favor . . .   Gracias, Pedro.
  ¿Qué hay aquí?   Hay dos reglas.
  ¿Son tus gomas, Pedro?   No, señor, son mis reglas.
  ¿Dónde están tus reglas ahora?   Están en mi pupitre.
    Están en el pupitre de Juan.

(*Continuar con otras cosas.*)

3 ¿Son las reglas de Ana?   No, son sus lápices.
  ¿Son los lápices de Juan?   No, son los cuadernos de usted.
  ¿Son las gomas de Paco?   No, son las reglas de usted.

  ¿Dónde están mis libros?   Están en su mesa.
  ¿Dónde están las reglas de   Están en el pupitre de
  Ana e Isabel?   Rosita.

Lee el texto.

Deletrea las palabras:
América, España, Méjico, aldea, lápiz, lápices.

Deletrea el alfabeto.

Copia las preguntas y escribe las respuestas.

10 diez

La familia Martínez

Don Antonio es el padre de Manuel, Juanita, Carmen y Jaime.
Doña Lola es la madre de Manuel, Juanita, Carmen y Jaime.
En la familia hay seis personas: el padre, la madre, dos hijas y dos hijos.

Manuel es el hermano mayor de Juanita, Carmen y Jaime.
Jaime es el hermano menor de Manuel, Juanita y Carmen.
Tiene dos hermanas y un hermano.

Juanita es la hermana mayor de Carmen y Jaime.
Carmen es la hermana menor. Tiene dos hermanos y una hermana.

18

Doña Lola y don Antonio están sentados entre Manuel y Juanita. Manuel está de pie a la izquierda, al lado de su padre, y Juanita está de pie a la derecha, al lado de su madre. Carmen y Jaime están sentados delante de sus padres.

Preguntas

1 ¿Cómo se llama cada una de las personas de la familia?
2 ¿Cuántos hijos y cuántas hijas hay en la familia?
3 ¿Cuántos hermanos tiene Carmen?
4 ¿Cuántas hermanas tiene Manuel?
5 ¿Quién está de pie y quién está sentado?
6 ¿Es la señora la hermana de Manuel?
7 ¿Es Carmen la hermana mayor de Manuel?
8 ¿Dónde está sentado Manuel?
9 ¿Dónde está sentada Juanita?
10 ¿Dónde están sentados Carmen y Jaime?

Conversación

1 ¿Cómo te llamas?
2 ¿Estás sentado o de pie? Estoy . . .
3 ¿Dónde vives? Vivo . . .
4 ¿Estás en casa?
5 ¿Cuántas personas hay en tu familia?
6 ¿Tienes hermanos? Tengo . . .
7 ¿Cuántos hermanos y hermanas tienes?
8 ¿Es Mr . . . . tu padre o tu madre?
9 ¿Es Mrs . . . . tu hermana?
10 ¿Cómo se llama cada una de las personas de tu familia?
11 ¿Dónde están?
12 Y tú, ¿dónde estás sentado ahora? ¿Detrás de quién?
13 ¿Cuántas puertas, ventanas y jardines tiene tu casa?
14 ¿Qué hay en la casa y en el jardín?
15 Y yo, ¿cómo me llamo?
16 ¿Soy alumno?
17 ¿Estoy sentado?
18 ¿Cuántos hijos tengo?
19 ¿Dónde estoy en la clase?
20 ¿Dónde vivo yo?

¿Cómo me llamo yo?

Usted se llama el señor García.

Lee el texto.

19

11 once

Aquí hay un reloj. ¿Qué hora es?

¡Es la una!

¡Son las dos!

¡Son las tres!

¡Son las cuatro y media!

¡Son las cinco y cuarto!

¡Son las seis menos cuarto!

¡Son las siete y cinco!

Son las ocho y cinco

Son las nueve y diez

Son las diez menos diez

Son las once y veinte

Son las doce menos veinte

Es la una y veinticinco

Son las seis

Son las siete menos veinticinco

¿Cuántas son?

3 + 7; 9 + 3; 8 − 7; 12 − 2;
4 + 6; 4 + 4; 5 − 3; 11 − 3;
6 + 5; 1 + 3; 9 − 2; 6 − 4.

Escribe los problemas

Tres y siete son . . . etc.

20

A A las siete y media
   Pablo está en casa.

B A las ocho y cuarto
   está en la calle.

C A las nueve menos cuarto está en el colegio.

D A las cuatro y cuarto
   está en el parque.

E A las seis menos cuarto está
   en su jardín.

Preguntas 1

¿Dónde está Pablo:

1 a las siete y media?
2 a las ocho y cuarto?
3 a las nueve menos cuarto?
4 a las cuatro y cuarto?
5 a las seis menos cuarto?

Preguntas 2

¿A qué hora está:

1 en el parque?
2 en la calle?
3 en casa?
4 en el jardín?
5 en el colegio?

Preguntas 3

1 ¿Dónde están tu madre y tu padre a las ocho y a las once?
2 Y tú, ¿dónde estás a las seis, a la una, a las tres, y a las cuatro?
3 ¿Dónde está el número tres en el reloj? Entre el ... y ....

Este es un pueblo en el campo. Se llama San Juan de la Fuente y está entre las montañas. El pueblo tiene muchas casas, doce tiendas una iglesia, un hospital y una escuela.

La iglesia está en medio del pueblo, en una plaza. El hospital está a un lado de la iglesia y la escuela está al otro. La plaza tiene una fuente y ocho árboles. En medio de la plaza hay sillas y mesas para la gente (los hombres, las mujeres y los niños) del pueblo.

En la calle mayor, al lado de un hotel, hay un banco. Hay también un café, un garaje y una estación. El garaje está entre el café y la estación.

Preguntas

¿Es una ciudad?

¿Cómo se llama?

¿Cuántas casas tiene el pueblo?

¿Cuántas tiendas tiene? ¿Y plazas? ¿Y hoteles?

¿Dónde están la iglesia, el hospital, la fuente y los otros edificios?

¿Cuántos árboles hay en la plaza?

¿Qué hay también en la plaza?

¿Para quién son?

El día tiene veinticuatro horas.

La semana tiene siete días.

Los días de la semana son:

lunes, martes, miércoles, jueves, viernes, sábado y domingo.

Cuántas son?

10 + 10;   15 + 10;   20 + 10;   20 − 7;   20 + 4;

15 − 10;   20 − 4;   30 − 1;   17 − 3;   12 + 6;

12 − 1;   13 + 6;   14 + 3;   19 − 2;   21 − 5.

Preguntas

1 ¿Cuántas horas tiene el día?

2 ¿Cuántos días tiene la semana?

3 ¿Cuántos días tienen dos semanas?

4 ¿Cuáles son los días de la semana?

5 ¿Cuántas letras hay en el alfabeto español?

6 ¿Y en el alfabeto inglés?

7 ¿Qué día de la semana es hoy?

8 ¿A cuántos estamos hoy?

Conversación

Profesor: ¡Buenos días Ernesto!

Alumno: ¡Buenos días señor!

Profesor: ¿Cómo estás?

Alumno: Estoy muy bien, gracias. ¿Y cómo está usted?

Profesor: Estoy muy bien (mal, regular), gracias.

23

A En esta clase todos los chicos están de pie. Algunas chicas tam-bién están de pie pero otras están sentadas.

B En esta clase todas las chicas están de pie. Algunos chicos tam-bién están de pie pero otros están sentados.

Preguntas 1

A ¿Están todas las chicas de pie?
¿Cuántos chicos están de pie?
B ¿Están todos los chicos de pie?
¿Cuántas chicas están de pie?

C Felipe va al cine todas las semanas.
D Elena va al colegio todos los días a las nueve.
E La señora de Gómez y su amiga van al parque todos los miér-coles.

F   Pepita va a la iglesia todos los domingos a las once.
G   Pepe va a la piscina todos los sábados.
H   El señor Gómez y su amigo van a la estación todos los días a las ocho.

Preguntas

1 ¿Adónde va Felipe todas las semanas?
2 ¿Adónde va Elena todos los días?
3 ¿Adónde van la señora de Gómez y su amiga todos los miércoles?

4 ¿Cuándo va Felipe al cine?
5 ¿Cuándo va Elena al colegio?
6 ¿Cuándo van las señoras al parque?

7 ¿Adónde va Pepita todos los domingos?
8 ¿Adónde va Pepe todos los sábados?
9 ¿Adónde van los señores todos los días?

10 ¿Cuándo va Pepita a la iglesia?
11 ¿Cuándo va Pepe a la piscina?
12 ¿Cuándo van los señores a la estación?

13 ¿A qué hora va Elena al colegio?
14 ¿A qué hora va Pepita a la iglesia?
15 ¿A qué hora van los señores a la estación?

Conversación

¿Cuándo vas al cine, todos los días o algunas veces? Voy . . .
¿Cuándo vas al colegio, al parque, a la piscina, a la iglesia, a las tiendas, al banco?

25

14
catorce

El mes tiene cuatro semanas. El año tiene doc\
meses.

$20 + 10 = 30$ Veinte y diez son treinta.\
$30 + 10 = 40$ Treinta y diez son cuarenta.\
$40 + 10 = 50$ Cuarenta y diez son cincuenta

46   39   17   14   8   3

El señor Martínez tiene cuarenta y seis años.\
La señora de Martínez tiene treinta y nueve años.\
Manuel tiene diecisiete años.\
Juanita tiene catorce años.\
Carmen tiene ocho años. Es una niña.\
Jaime tiene tres años. Es un niño.

Preguntas

1 ¿Qué día es hoy?\
2 ¿Cuántas horas tiene el día? ¿Cuántas horas tienen dos días?\
3 ¿Cuántas semanas tiene el mes? ¿Dos meses? ¿Un año?\
4 ¿Cuántos meses tiene el año? ¿Dos años? ¿Tres años? ¿Cuatro años?\
5 ¿Cuántos años tiene cada una de las personas de la familia Martínez?\
6 ¿Es Carmen una mujer o una niña?\
7 ¿Es Jaime un hombre?\
8 ¿A cuántos estamos hoy?

¿Cuántas son?

$20 + 10$; $25 + 10$; $13 + 17$; $32 - 12$;\
$20 + 20$; $36 + 10$; $15 + 16$; $36 - 14$;\
$30 + 20$; $42 + 10$; $26 + 19$; $18 - 6$.

Son las once de la noche.

Son las once de la mañana.

26

Son las cinco de la mañana.

Son las cinco de la tarde.

María (una chica en la clase) viene al colegio a las ocho y media de la mañana. Vuelve a casa a las cuatro de la tarde. Viene al colegio por la mañana y vuelve a casa por la tarde. Cuando va al cine, va por la noche.

Enrico (un chico en la clase) viene al colegio en bicicleta.
Juan (otro chico) viene al colegio en autobús.
Conchita (otra alumna) viene a pie con su amiga, Dolores.
Isabel (otra alumna) viene en coche con su madre.

Preguntas

1 ¿A qué hora viene María al colegio?
2 ¿A qué hora vuelve a casa?
3 ¿Viene al colegio por la tarde?
4 ¿Vuelve a casa por la mañana?
5 ¿Cuándo va al cine?
6 ¿Cómo viene Enrico al colegio?
7 ¿Cómo viene Juan?
8 ¿Cómo vienen Conchita y su amiga?
9 ¿Con quién viene Isabel?
10 ¿Cómo vienen ellas?

Conversación

1 ¿Cuántos años tienes?
  Tengo . . .
2 ¿Cuántos años tiene cada una de las personas de tu familia?
3 ¿Cuántas cosas tienes en tu pupitre?
4 ¿Cuántos hermanos tienes?
5 ¿Cuántos cuadernos tienes?

Dibujo número uno: Son las diez. El profesor está en la clase. Está señalando la pizarra.

Dibujo número dos: Son las ocho y cuarto. Juanita está mirando un programa de televisión.

Dibujo número tres: Son las nueve menos cuarto. Manuel está escuchando la radio.

Preguntas
1a ¿Qué hora es?
1b ¿Dónde está el profesor?
1c ¿Qué está haciendo?

2a ¿Qué hora es?
2b ¿Dónde está Juanita?
2c ¿Qué está haciendo?

3a ¿Qué hora es?
3b ¿Dónde está Manuel?
3c ¿Qué está haciendo?

1a ¿Quién está señalando la pizarra?
2a ¿Quién está mirando el programa de televisión?
3a ¿Quién está escuchando la radio?
1b ¿Qué está señalando el profesor?
2b ¿Qué está mirando Juanita?
3b ¿Qué está escuchando Manuel?

Conversación 1

Profesor: Estoy señalando la goma de María.
1 María, ¡señala tu goma!
   ¡señala la regla de Isabel!
   ¡señala el cuaderno de Ana!
¿Qué estás haciendo?

Estoy tocando el libro de Isabel.
2 Isabel, ¡toca tu libro!
   ¡toca la puerta!
   ¡toca la regla de Anita!
¿Qué estás haciendo?

Estoy mirando la pizarra.
3 Juana, ¡mira la pizarra!
   ¡mira esta flor!
   ¡mira el dibujo!
¿Qué estás haciendo?

4 ¿Qué estoy haciendo yo?
Vd. está señalando la ventana, el mapa, etc.
Vd. está tocando la puerta, su bolígrafo, etc.
Vd. está mirando el libro de Ana, etc.

Note: *Vd.* and *Ud.* are abbreviations of *usted.*

Conversación 2

1 ¿Vienes al colegio por la noche?
 Vengo . . .
2 ¿Cómo vienes, en taxi?
3 ¿A qué hora vienes a mis clases?
4 ¿Vienes al colegio los martes y los domingos?
5 ¿Vas a la iglesia los miércoles?
 Voy . . .
6 ¿Cuándo va tu padre al trabajo o a la oficina?
7 ¿Vas a la oficina de tu padre los jueves?
 No voy . . .
8 ¿Cuándo va tu madre a las tiendas?
9 ¿Cuándo vas a la piscina?
10 ¿Cuándo vas al cine?
11 ¿Cuándo vuelves a casa?

16 dieciséis

Dibujo A:
El profesor está escribiendo en la pizarra con una tiza.

Dibujo B:

En la pizarra hay una frase. En la frase hay seis palabras. Los alumnos están copiando las palabras en sus cuadernos.

Dibujo C:
Carmen está leyendo la frase.

Preguntas

1 ¿Qué está haciendo el profesor?
2 ¿Qué están haciendo los alumnos?
3 ¿Qué está haciendo Carmen?
4 ¿Quién está escribiendo en la pizarra?
5 ¿Con qué está escribiendo?
6 ¿Quiénes están copiando las palabras?
7 ¿Con qué están copiando?
8 ¿Cuántas palabras hay en la pizarra?
9 ¿Cuántas frases hay?
10 ¿Quién está leyendo la frase?
11 ¿Qué está escribiendo el profesor?
12 ¿Dónde está escribiendo la frase?
13 ¿En qué dibujo está escribiendo el profesor?
14 ¿En qué dibujo están copiando los alumnos?

Conversación

Maria, ¡escribe una palabra en la pizarra!
1 ¿Qué estás haciendo?

Isabel, ¡copia la palabra de María!
2 ¿Qué estás haciendo?

Ana, ¡lee esta frase!
3 ¿Qué estás haciendo?

Una oración es un grupo de frases y palabras.

Completa estas oraciones:

Me llamo . . . .
Soy . . . .
Soy de . . . . . .
Vivo en . . . . .
Estoy en . . . .
Tengo . . . . . .
Voy . . . .
Vengo . . . .

31

17 diecisiete

A Es la clase de inglés. El profesor está hablando inglés.
Dice, '*Hello!*' Habla inglés en las clases de inglés.
Los alumnos también hablan inglés.

B Es la clase de francés. La profesora está hablando francés.
Dice, '*Bonjour!*' Habla francés en las clases de francés.
Los alumnos también hablan francés.

C Es la clase de español. El profesor está hablando español.
Dice, '¡Buenos días!' Habla español en las clases de español.
Los alumnos también hablan español.

Preguntas

A 1 ¿Qué clase es ésta?
2 ¿Qué está haciendo el profesor?
3 ¿Qué idioma está hablando?
4 ¿Qué dice?
5 ¿Qué hace en las clases de inglés?
6 ¿Qué hacen los alumnos?

B **1** ¿Qué clase es ésta?
2 ¿Qué está haciendo la profesora?
3 ¿Qué idioma está hablando?
4 ¿Qué dice?
5 ¿Qué hace en las clases de francés?
6 ¿Qué hacen los alumnos?

C **1** ¿Qué clase es ésta?
2 ¿Qué está haciendo el profesor?
3 ¿Qué idioma está hablando?
4 ¿Qué dice?
5 ¿Qué hace en las clases de español?
6 ¿Qué hacen los alumnos?

7 ¿En qué dibujo está la profesora hablando francés?
8 ¿En qué dibujo está el profesor hablando inglés?
9 ¿En qué dibujo está hablando español?
10 ¿Qué está diciendo la profesora en el dibujo B?
11 ¿Qué está diciendo el profesor en el dibujo C?
12 ¿Qué está diciendo el profesor en el dibujo A?

Conversación
¿Qué clase es ésta?
¿Qué idioma estás hablando?
¿Qué haces tú en las clases de español?
¿Qué haces en las clases de inglés?
¿Qué haces en las clases de francés?
¿Qué idioma hablo yo en la clase de español? Vd . . . .
¿Qué idioma estoy hablando yo ahora? Vd . . . .

Pronuncia los números y escríbelos:
. 11. 4. 14. 12. 6. 13. 7. 3. 15. 20. 22. 16. 39.
0. 17. 45. 18. 50. 19.

Qué hora es?
.15. 2.10. 1.30. 6.05. 4.20. 8.45. 9.50. 7.25. 5.35.
0.45.

33

18 dieciocho

En la clase de español el profesor señala un dibujo y los alumno
miran el dibujo. El profesor dice: '¿Qué es esto?' o '¿Cómo se llama?'
o '¿Dónde está?' (Son preguntas.) Los alumnos dicen: 'Es un libro'
'Se llama Manuel' o 'Está en la calle'. (Son respuestas.) El profeso
pregunta y los alumnos responden.

El profesor escribe las preguntas y las respuestas en la pizarra. Lo
alumnos deletrean algunas palabras, leen las frases y luego copian la
frases y las oraciones en sus cuadernos. Escriben con bolígrafos (
plumas.

Cuando escuchan con atención, responden bien a las preguntas.
Cuando no escuchan con atención, responden mal.
Cuando leen con atención, escriben bien.
Cuando no leen con atención, escriben mal.

Preguntas
1 ¿Qué hacen los alumnos cuando el profesor señala un dibujo?
2 ¿Qué hacen cuando el profesor pregunta?
3 ¿Qué hacen cuando el profesor escribe las preguntas y respuesta
en la pizarra?
4 ¿Qué hacen luego?
5 ¿Con qué escriben?
6 ¿Cómo hablan cuando escuchan con atención?
7 ¿Cómo hablan cuando no escuchan?
8 ¿Cómo escriben cuando leen bien?
9 ¿Cómo escriben cuando no leen bien?

A Este señor es médico. Trabaja en un hospital.
B Estas señoritas son enfermeras. Trabajan también en un hospita

C Este señor es mecánico. Trabaja en un garaje.
D Esta señorita es dependienta. Trabaja en una tienda.
E Estos señores son obreros. Trabajan en una fábrica.

F Esta señora es recepcionista. Trabaja en un hotel.
G Estos señores son camareros. Trabajan en un café.
H Estas señoras son mecanógrafas. Trabajan en una oficina.

Preguntas

1 ¿Qué son las personas en estos dibujos, y dónde trabajan?
En el dibujo A el señor es médico y trabaja en un hospital.
2 ¿Dónde trabajan las personas de tu familia?
3 ¿Qué hace tu profesor de español en la clase?
4 ¿Qué hacen tus amigos en la clase?

Conversación

1 ¿Qué haces tú cuando yo señalo un dibujo?

2 ¿Qué haces cuando pregunto?

3 ¿Qué haces cuando escribo las frases en la pizarra?

4 ¿Con qué escribes las palabras?

5 ¿Cómo escribes? ¿Bien, mal o regular?

6 ¿Cuándo hablas bien?

7 ¿Cuándo hablas mal?

8 ¿Cuándo escribes bien?

9 ¿Cuándo escribes mal?

10 ¿Cuántos idiomas hablas?

11 ¿Qué idiomas hablas?

12 ¿Qué idioma estás hablando ahora?

13 ¿Con qué escribe el profesor?

14 ¿Con qué escribes en tu cuaderno?

15 ¿Cómo hablas español?

16 ¿Cómo hablan los alumnos en esta clase?

19 *diecinueve*

El mes tiene cuatro semanas.
El año tiene doce meses.
Los meses son:

enero	abril	julio	octubre
febrero	mayo	agosto	noviembre
marzo	junio	septiembre	diciembre

Enero es el primer mes del año.
Diciembre es el último mes del año.
Abril está antes de mayo y después de marzo.
Junio está antes de julio y después de mayo.
Diciembre está antes de enero y después de noviembre.

Aquí hay un calendario. El calendario tiene cuatro páginas.
Cada página tiene un dibujo que indica el tiempo que hace.

En el primer dibujo está nevando. Nieva en enero y febrero.
En el segundo está haciendo viento. Hace viento en abril y mayo.
En el tercero está haciendo sol. Hace sol en julio y agosto.
En el último está lloviendo. Llueve mucho en octubre y noviembre.

reguntas

1 ¿Cuántas semanas tiene el año?
2 ¿Cuántas semanas tiene el mes?
3 ¿Cuántos meses tiene el año?
4 ¿Cuáles son los meses del año?
5 ¿Cuál es el último mes del año?
6 ¿Cuál es el primer mes del año?
7 ¿Entre qué meses están marzo, agosto, abril y enero?
   Marzo está entre febrero y abril.
   Agosto está . . .
8 ¿Cuántos días tiene la semana?
9 ¿Cuáles son los días de la semana?
0 ¿Cuál es el primer día de la semana?
1 ¿Cuál es el tercer día?
2 ¿Cuántos días tiene cada mes?
3 ¿Entre qué días están lunes, miércoles, y viernes?
4 ¿Cuáles son los meses de vacaciones?
5 ¿Qué tiempo hace en agosto y diciembre?
6 ¿Qué tiempo hace en febrero y junio?

onversación

¿A cuántos estamos hoy?
¿Qué tiempo hace hoy?
¿Cuántos años y cuántos meses tienes?
¿Qué edad tienen tres personas de tu familia?
(Responde en años y meses)
¿Cuándo es tu cumpleaños?
¿En qué página estamos hoy?

viernes
1
agosto

Feliz cumpleaños, Jaime!

oy es el cumpleaños de Jaime. Tiene tres años.

37

20 *veinte*

A La señorita Vargas trabaja en una oficina. Llega a la oficina a las nueve y veinticinco. Es la secretaria del señor Martínez y tiene veintidós años. Habla tres idiomas: español, francés e inglés.

B Abre la puerta.

C Entra en la oficina y

D abre las ventanas.

E Cuando entra el señor Martínez, la señorita está trabajando. Está escribiendo a máquina. El señor dice:
'¡Buenos días, Anita!' y le pregunta '¿Cómo estás?' Ella responde:
'Muy bien gracias, señor ¿y usted?'

Preguntas

A 1 ¿Dónde trabaja la señorita Vargas?

   2 ¿Qué hace a las nueve y veinticinco?

38

3 ¿Qué es la señorita? Es profesora?
4 ¿Cuántos años tiene?
5 ¿Cuántos idiomas habla?
6 ¿Qué idiomas habla?
7 ¿Qué hace en este dibujo?
8 ¿Qué hace luego?
9 ¿Qué hace después?
10 ¿Qué está haciendo cuando entra el señor Martínez en la oficina?
11 ¿Qué clase de trabajo está haciendo?
12 ¿Qué le pregunta el señor?
13 ¿Qué le responde Anita?

Conversación 1

1 ¿Que haces a las nueve menos cuarto?
2 ¿Cómo se llama la secretaria del colegio?
3 ¿Qué haces en la clase de español?
4 ¿Cuántos idiomas hablas?
5 ¿A qué hora llegas al colegio?
6 ¿Escribes a máquina?
7 Cuando el profesor dice: 'Abre las ventanas', ¿qué haces tú?
8 Cuando dice ¿'Cómo estás?', ¿qué dices tú?
9 ¿Y cuando no estás bien?
10 ¿Vuelves a casa antes o después de las cinco?

Conversación 2

Profesor: ¿Cómo me llamo yo?
Alumno: Vd. se llama el señor . . . . .
Profesor: ¿Soy secretaria?
Alumno: No, Vd. es profesor.
Profesor: ¿Dónde trabajo?
Alumno: Vd. trabaja en un colegio.
Profesor: ¿Cuántos idiomas hablo?
Alumno: Vd. . . .
Profesor: ¿Qué hago a las ocho y media?

¿Soy secretaria?

No, Usted es **profesor**

¿Qué hago cuando entro en la clase?
¿A qué hora llego al colegio?
¿Cuándo abro las ventanas?
¿Qué hago en las clases de español?
¿Vuelvo a casa antes o después de las cinco?

21 veintiuno

(A) Son las once y cinco. El senor Martínez y la señorita Varga
están tomando café. Toman café todos los días entre las once y la
once y cuarto. El señor Martínez toma el café con leche (B) y Anit
también. El señor toma el café con mucho azúcar (C) porque le gust
mucho. Anita toma el café sin azúcar. No toma azúcar porque no l
gusta mucho.

Preguntas

1 ¿Qué hora es?
2 ¿Qué están haciendo el señor y la señorita?
3 ¿Qué hacen todos los días a esta hora?
4 ¿El señor toma el café con o sin leche?
5 ¿Anita toma el café con o sin leche?
6 ¿El señor toma el café con o sin azúcar?
7 ¿Cuánto azúcar toma?
8 ¿Por qué?
9 ¿Toma Anita mucho azúcar?
10 ¿Por qué?

(D) Es la una y media. Es la hora de la comida. El señor Martínez sal
de la oficina y (E) va al café. Le gusta ir al café. (F) En este dibujo e
señor Martínez está comiendo pescado con ensalada. (G) Anita n
sale para comer. Se queda en la oficina y come pan y fruta. Com
poco a esta hora y no le gusta mucho ir al café.

40

Preguntas

1 ¿Qué hora es?
2 ¿Es la hora del desayuno?
3 ¿Qué hace el señor?
4 ¿A dónde va a la hora de la comida?
5 ¿Por qué?
6 ¿Qué está haciendo el señor en el dibujo?
7 ¿Sale Anita también?

8 ¿Qué hace?	11 ¿Quién sale de la oficina y quién se queda?
9 ¿Qué come?	12 Al señor, ¿le gusta ir al café?
10 ¿Come mucho?	13 A la señorita, ¿le gusta ir al café?

Conversación 1

1 ¿Qué tomas con el té?
2 ¿Cuánta leche tomas?
3 ¿Cuánto azúcar tomas?
4 ¿Por qué?
5 ¿Tomas el café con o sin azúcar?
6 ¿A qué hora llegas al colegio?
7 ¿Llegas antes o después de tu amigo?
8 ¿A qué hora vuelves a casa?
9 Cuando llegas al colegio, ¿qué haces?
10 ¿Escribes a máquina en el colegio?
11 ¿Adónde vas a comer? ¿Vas al café o te quedas en el colegio?
12 A la hora de la comida, ¿vas a tu clase o al comedor?
13 ¿A qué hora desayunas en tu casa los lunes?
14 ¿A qué hora desayunas en tu casa los domingos?
15 ¿Comes mucho o poco?
16 ¿Qué comes en la comida en el colegio?
17 ¿Qué comes en la comida en tu casa?
18 ¿Adónde te gusta ir? ¿Al parque? ¿Al colegio? ¿A Londres? etc.
19 ¿Qué te gusta tomar en el té?
20 ¿Qué te gusta tomar en el café?

Conversación 2

1 ¿Qué tomo yo a las once?
2 ¿Tomo el café con o sin azúcar?
3 ¿Tomo el café con o sin leche?
4 ¿Adónde voy a la hora de la comida?
5 ¿Qué como a la hora de la comida?
6 ¿Voy al café o me quedo en el colegio?

41

22 veintidós

(**A**) El señor vuelve a la oficina a las tres. Cuando entra en la oficina Anita está trabajando. (**B**) Está abriendo cartas. Trabaja hasta las cinco y (**C**) luego prepara el té. Echa leche y azúcar en la taza del señor porque al señor le gusta el té con leche y azúcar. Anita no echa azúcar en el té porque no le gusta. Pero echa leche porque le gusta tomar un poco.

Preguntas

1 ¿Qué hace el señor Martínez a las tres?
2 ¿Qué está haciendo Anita cuando entra en la oficina?
3 ¿Está escribiendo a máquina?
4 ¿Hasta qué hora trabaja?
5 ¿Qué hace a las cinco?
6 ¿Qué echa en el té del señor?
7 Al señor, ¿cómo le gusta tomar el té?
8 A la señorita, ¿cómo le gusta tomar el té?

(**D**) A las siete Anita termina el trabajo y vuelve a casa. Cuando sale de la oficina, dice 'Hasta mañana' al señor. (**E**) Él se queda en la oficina y trabaja hasta las siete y media. (**F**) Luego cierra las ventanas, (**G**) sale de la oficina y cierra la puerta.

(H) Baja la escalera, (J) cruza la calle, (K) coge el coche y (L) llega a su casa a las ocho menos diez.

Preguntas
1 ¿A qué hora termina Anita su trabajo?
2 ¿Adónde vuelve?
3 ¿Qué dice al señor cuando sale de la oficina?
4 ¿Vuelve también el señor a su casa?
5 ¿Hasta qué hora trabaja?
6 ¿Qué hace luego?
7 ¿Qué hace cuando cierra la puerta?
8 ¿A qué hora llega a su casa?

Conversación 1
1 ¿Hasta qué hora trabajas?
2 ¿Qué haces cuando vuelves a casa?
3 ¿Bajas una escalera y cruzas la calle?
4 ¿Coges un coche o un autobús?
5 ¿A qué hora llegas a tu casa?
6 Cuando tu madre prepara el té, ¿qué echa en tu taza?
7 Cuando tú haces el té, ¿qué haces?
8 ¿Por qué (no) echas . . . ?

Conversación 2
1 Cuando preparo una taza de té, ¿qué echo en la taza?
2 Y cuando preparo una taza de café, ¿qué hago?
3 Cuando termino mi trabajo por la tarde, ¿qué hago?
4 ¿Cojo un autobús o mi coche?
5 ¿A qué hora llego a mi casa?

43

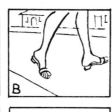

A En este dibujo la señorita Fuentes va a cruzar la calle. No está cruzando la calle ahora.

B Pero en este dibujo sí, está cruzando la calle.

C El señor Villa va a bajar la escalera.

D Está bajando la escalera ahora.

E Este gato va a beber la leche.

F Ahora está bebiendo la leche.

G Este perro va a comer la carne.

H Ahora está comiendo la carne.

J Pablo va al cine. Va a ver una película.

K Pablo y sus amigos van al parque. Van a jugar al fútbol.

L Estos alumnos van al colegio. Van a estudiar.

M El señor Vargas va a la biblioteca. Va a leer los periódicos.

N Rosita va a la piscina. Va a nadar.

O Estas señoras van a la estación. Van a coger un tren.

23 veintitrés

Preguntas 1

A 1 ¿Qué va a hacer la señorita Fuentes?
B 2 ¿Qué está haciendo en este dibujo?
C 3 ¿Está bajando la escalera el señor Villa?
D 4 ¿Qué está haciendo ahora?
E 5 ¿Qué va a hacer el gato?
F 6 ¿Está bebiendo un vaso de agua?
G 7 ¿Qué va a hacer este perro?
H 8 ¿Qué está haciendo aquí?
J 9 ¿Qué va a hacer Pablo?

Preguntas 2

K 1 ¿Adónde van Pablo y sus amigos?
   2 ¿Qué van a hacer?
L 3 ¿Adónde van estos alumnos?
   4 ¿Qué van a hacer?
M 5 ¿Adónde va el señor Vargas?
   6 ¿Qué va a hacer?
N 7 ¿Adónde va Rosita?   O 9 ¿Adónde van las señoras?
   8 ¿Qué va a hacer?   10 ¿Qué van a hacer?

Conversación

Esta tarde a las cuatro voy a cerrar las ventanas, voy a abrir la puerta de la clase y voy a salir de la clase. Luego voy a decir 'hasta mañana' a mis amigos, los otros profesores.
1 Y tú, ¿qué vas a hacer?
Después, voy a bajar la escalera, voy a salir del colegio, voy a coger mi coche y voy a volver a casa. Voy a llegar a las cinco.
2 Y tú, ¿qué vas a hacer?
Después, voy a beber una taza de té, voy a escuchar la radio, voy a trabajar un poco en el jardín, y luego voy a escribir una carta a un amigo mío.
3 Y tú, ¿qué vas a hacer?
Después de la cena, voy a preparar mis lecciones, voy a leer un poco, voy a ver la televisión y voy a jugar con mis niños.
4 Y tú, ¿qué vas a hacer?

24 veinticuatro

A El señor Martínez sale de su casa, sube al coche y llega al aeropuerto a las ocho menos cinco. Va a llegar una amiga de su hija Juanita. La amiga viene de Inglaterra y vive en Birmingham. Se llama Ann Hawkins y va a llegar en un avión (un jet) a las ocho y cuarto. Va a pasar quince días de vacaciones con Juanita y su familia.

B El avión llega a las ocho y cuarto.

C Ann sale del avión, baja la escalera y
D pasa por la aduana.
'Su pasaporte, por favor', dice el oficial de la aduana.
Ann le da su pasaporte.
'¿Cuánto tiempo va a estar aquí en España, señorita?' pregunta a Ann.
'Dos semanas, señor', responde ella.
'Bien', dice el oficial, y Ann pasa por la puerta.

46

Preguntas 1

A **1** ¿Adónde va el señor Martínez a las ocho menos cinco?

2 ¿Quién va a llegar?

3 ¿De dónde viene y dónde vive?

4 ¿A qué hora va a llegar a España?

5 ¿Cuánto tiempo va a pasar con la familia Martínez?

B **1** ¿Qué pasa a las ocho y cuarto?

Preguntas 2

C **1** ¿Qué hace Ann cuando llega?

2 ¿Por dónde pasa?

3 ¿Qué le dice el oficial?

4 ¿Qué hace Ann?

5 Cuando el oficial dice 'Bien', ¿qué hace Ann?

6 ¿Cuánto tiempo va a pasar en España?

Conversación

1 ¿A qué hora vas a salir del colegio esta tarde?

2 ¿A qué hora vas a llegar a casa?

3 Tu madre, ¿va a estar en casa?

4 ¿Qué va a darte tu madre de cena?

Va a darme . . .

5 ¿Qué vas a beber en la cena?

6 ¿Qué vamos a hacer nosotros (vosotros y yo) en la clase mañana?

Vamos a hablar español, *etc.*

¿Qué hora es?

11.30 am. 11.30 pm. 6.15 pm. 4.15 am. 4.15 pm.

10.45 am. 3.45 pm. 8.05 pm. 7.40 am. 2.50 pm.

Composición

Describe a las personas de tu familia, cómo se llaman, dónde están, dónde viven, la edad que tienen y dónde trabajan.

25 veinticinco

Veinte minutos después, llegan a la casa de los Martínez. Tienen una casa grande porque hay muchas personas en la familia: el señor y la señora, los cuatro niños (Manuel, Juanita, Carmen y Jaime) también el abuelo de los niños (el padre del señor) y la abuela (la madre del señor).

La casa tiene dos pisos: la planta baja y el primer piso. Está en la calle Alvarez, número sesenta y ocho. A la derecha hay un garaje y a la izquierda hay otra calle. Es decir, que la casa está en una esquina. Hay un jardín detrás de la casa con algunos árboles y en el primer piso hay dos balcones con muchas flores.

Preguntas
1 ¿Adónde llegan Ann y el señor?
2 ¿Cómo es la casa?
3 ¿Por qué tienen una casa grande?

4 ¿Quiénes son las personas de la familia?
5 ¿Quiénes son el abuelo y la abuela?
6 ¿Cuántos pisos tiene la casa?
7 ¿Cuáles son?
8 ¿Dónde está la casa?
9 ¿Qué hay a la derecha y a la izquierda?
10 ¿Qué hay en un jardín?

Conversación

1 ¿Tienes una casa grande o pequeña?
2 ¿En tu familia hay muchas o pocas personas?
3 ¿Cuántas personas hay en tu familia?
4 ¿Cuántas personas mayores y cuántos niños hay?
5 ¿Cuántos abuelos tienes?
6 ¿Qué edad tienen y dónde viven?
7 ¿Cuántos pisos tiene tu casa?
8 ¿Dónde está tu casa? ¿En qué calle?
9 ¿Qué número tiene?
10 ¿Qué hay detrás de tu casa y delante de ella?

¿Cuántas son?

$23 + 23;$ $43 - 8;$ $14 + 28;$ $66 - 20;$
$37 + 20;$ $52 + 12;$ $25 - 13;$ $54 - 6;$
$58 + 11;$ $61 - 10;$ $49 + 9;$ $18 - 11.$

Escribe los problemas.

Pronuncia las fechas y escríbelas
Modelo: 13.vii.   El trece de julio.
2.iii.   14.ix.   29.v.   6.i.   22.vii.   16.ii.   11.xi.   1.viii.   12.iv.
23.vi.   15.x.   25.xii.

Composición
Describe tu clase, a tus amigos, dónde están sentados, y dónde están las cosas que tienen.

Aquí hay un plano de la planta baja de la casa de los Martínez. En el centro hay un patio con una fuente. Las habitaciones están alrededor del patio. A la derecha está la cocina, donde la señora prepara las comidas (el desayuno, la comida, y la cena), y el comedor, donde comen. A la izquierda está el despacho, donde trabaja el señor y donde los niños leen, escriben, estudian y hacen sus tareas.

Hay también un cuarto de estar donde juegan, escuchan la radio, ven la televisión y hablan con sus amigos. Entre el comedor y el cuarto de estar hay un dormitorio donde duermen los abuelos. Su dormitorio está en la planta baja porque no les gusta subir al primer piso.

Preguntas

1 ¿Es un mapa?
2 ¿Es un plano de toda la casa?
3 ¿Qué hay en el centro?
4 ¿Dónde están las habitaciones?
5 ¿Dónde está la cocina?
6 ¿Qué hace la señora allí?
7 ¿Qué hacen en el comedor?
8 ¿Cuáles son las comidas?
9 ¿Cuáles son las horas de las comidas en España?
10 ¿Cuáles son en Inglaterra?
11 Describe la posición de cada habitación.
12 ¿Qué hacen los niños en el cuarto de estar?
13 ¿Qué hace el señor en el despacho?
14 ¿Qué hacen los niños allí?
15 ¿Dónde duermen los abuelos?

Conversación 1

1 ¿Qué hace tu madre en la cocina?
2 ¿Qué haces en el comedor?
3 ¿Dónde juegas y hablas con tus amigos?
4 ¿Dónde escribes y estudias tus lecciones?
5 ¿Qué haces en cada habitación de tu casa?
6 ¿Qué haces en el jardín y en el parque?
7 ¿Qué vas a hacer en la cocina esta tarde?
8 ¿Qué vas a hacer en la clase mañana por la mañana?

Conversación 2

En la clase nosotros hablamos español, estudiamos, leemos y escribimos las frases y oraciones en los cuadernos, preguntamos y respondemos.

1 ¿Qué hacemos en la clase?
2 ¿Qué hacéis vosotros en la clase cuando pregunto?
3 ¿Qué hacéis cuando escribo en la pizarra?
   En el parque jugamos al fútbol o al cricket.
   En la piscina, nadamos y jugamos en el agua.
4 ¿Qué hacéis en el patio del colegio?
5 ¿Qué hacéis en el parque y en la piscina?

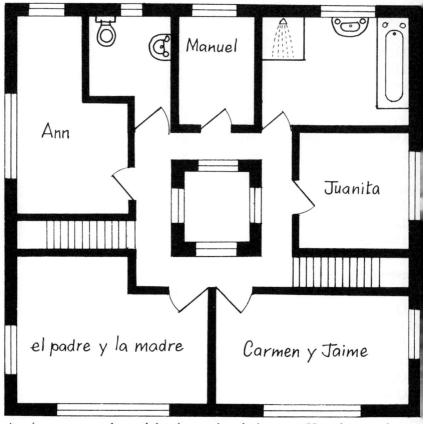

Aquí vemos un plano del primer piso de la casa. Hay dos escaleras: una a la derecha y otra a la izquierda. En este piso hay un balcón alrededor del patio y cinco dormitorios: tres grandes y dos pequeños.

A un lado del dormitorio pequeño de Manuel está el servicio y al otro lado está el cuarto de baño. A la izquierda hay dos dormitorios grandes: uno para los padres (el señor y la señora), y otro para los amigos de la familia. Ann va a dormir en este dormitorio.

A la derecha hay un dormitorio pequeño para Juanita y un dormitorio grande para Carmen y Jaime. Los abuelos tienen una habitación en la planta baja.

Preguntas
¿Es este un plano de la planta baja?
¿Cuántas escaleras hay?
¿Dónde están?
¿Cómo es el dormitorio de Manuel?
¿Cómo es el dormitorio de los padres?
¿Dónde duermen los abuelos?
¿Dónde duermen Carmen y Jaime?
¿Dónde va a dormir Ann?

Conversación 1
¿Vives en un piso o una casa?
¿Qué habitaciones hay en tu casa?
¿Cuántos dormitorios hay?
¿Dónde están?
¿Son grandes o pequeños?
¿Para quiénes son?
¿Dónde está el cuarto de baño?
¿Dónde está el servicio?

Conversación 2
Mi familia y yo tenemos una casa de dos pisos.
¿Qué tienen ustedes?
Dormimos en el primer piso.
¿Dónde duermen ustedes?
En la cocina preparamos las comidas y comemos.
¿Qué hacen Vds. en la cocina?
¿Qué hacen Vds. en el cuarto de estar?
¿Tienen Vds. un despacho?
¿Qué hacen Vds. allí?
¿Qué beben Vds. en la comida?
¿Qué comen Vds. en el desayuno?

Composición
Describe el pueblo de San Juan de la Fuente u otro pueblo que te
guste.

28 veintiocho

Aquí hay un mapa de España. Las regiones grandes del país son
Castilla, que está en el centro de la península; el País Vasco y
Cataluña, que están en el norte y el este, cerca de los Pirineos;
Andalucía, que está en el sur, lejos de los Pirineos; y Galicia, que está
en el oeste, cerca de Portugal. Los ríos grandes de España son el
Ebro, el Tajo y el Guadalquivir. Mallorca, Menorca e Ibiza son islas
en el Mediterráneo. Muchos turistas van allí a pasar las vacaciones.

En este mapa el mar es blanco y los ríos son negros. En un atlas,
por lo general, el mar es azul y los ríos son azules también. Las
fronteras entre los países son rojas, las montañas son amarillas y las
llanuras y los valles son verdes.

Preguntas 1

1 ¿Dónde está cada región?
2 ¿Dónde están los Pirineos?
3 ¿Dónde están las fronteras?
4 ¿Cómo se llaman los ríos grandes?
5 ¿Qué son Mallorca e Ibiza?
6 ¿Dónde están?
7 ¿Qué es el Mediterráneo?
8 ¿Dónde están Madrid, Barcelona, y Vigo?

Preguntas 2

A En este mapa, ¿de qué color son las fronteras?
¿de qué color son los ríos?
¿de qué color es el mar?
¿de qué color son las islas?
B En un atlas, ¿de qué color son las fronteras?
¿de qué color es el mar?
¿de qué color son los ríos?
¿de qué color son los valles?
¿de qué color son las montañas?

Conversación

1 ¿Estás sentado cerca del profesor?
2 ¿Estás sentado lejos de tu amigo?
3 Tu casa, ¿está cerca o lejos del colegio?
4 ¿De qué color son las flores que hay en la clase?
5 ¿De qué color son tus libros?
6 ¿De qué color son los árboles que hay en el campo?
7 ¿De qué color es la pizarra?
8 ¿De qué color es la puerta de tu casa?
9 ¿De qué color es cada cosa que tienes en tu pupitre?

Composición

Escribe sobre un día o una semana de tu vida, adónde vas, y a qué hora.

A Antes de la cena la señora pone la mesa. Pone los cuchillos a la derecha, los tenedores a la izquierda y las cucharas al lado de los cuchillos.

B El señor abre dos botellas de vino, una de vino tinto y otra de vino blanco.

C La señora pone platos, vasos grandes para el agua y vasos pequeños para el vino. Carmen no va a beber vino porque no le gusta mucho. Le gusta más la leche. Ella va a beber leche.

Preguntas

A 1 ¿Qué hace la señora antes de la cena?
   2 ¿Dónde pone los tenedores?
   3 ¿Dónde pone los cuchillos?
   4 ¿Dónde pone las cucharas?

1 ¿Qué hace el señor?

1 ¿De qué color es el vino?
2 ¿Para qué son los vasos pequeños?
3 ¿Para qué son los vasos grandes?
4 ¿Qué es lo que no va a beber Carmen?
5 ¿Por que no?
6 ¿Qué le gusta más?
7 ¿Para qué usamos un vaso o una taza?
8 ¿Para qué usamos un cuchillo o un tenedor?

Conversación 1

1 En tu casa, por lo general, ¿quién pone la mesa?
2 ¿Qué pones en la mesa para el desayuno?
3 ¿Qué pones en la mesa para la comida?
4 ¿Qué pones para la cena?
5 ¿A qué hora van Vds. a cenar esta tarde?
6 ¿A qué hora van Vds. a desayunar mañana?
7 ¿A qué hora vais a comer mañana en el colegio?
8 ¿Qué te gusta más, el agua, la leche o el té?
9 ¿Qué vas a beber mañana por la mañana?
0 ¿Qué vas a comer mañana por la mañana?
1 ¿Qué vas a usar para cenar esta tarde?

Conversación 2

En la clase nosotros cuando hago una pregunta,
1 ¿qué hacéis?   Respondemos.
2 Y ¿qué hacéis cuando digo 'escuchad'?   Escuchamos.
3 Y ¿qué hacéis cuando digo 'copiad'?   . . . .
4 Y ¿qué hacéis cuando digo 'escribid'?   . . . .
5 Y ¿qué hacéis cuando digo 'leed'?   . . . .
6 Y ¿qué hacéis cuando digo 'cerrad los libros y salid de la clase'?
7 ¿Sois vosotros alumnos o profesores?
8 ¿Dónde estáis ahora?
9 ¿Vivís en España?
0 ¿Estáis de pie?
1 ¿Cuántos profesores tenéis?
2 ¿A qué hora venís al colegio todos los días?
3 ¿A qué hora volvéis a casa?

30 *treinta*

A Son las nueve de la tarde. Es la hora de la cena. La familia va a cenar ahora con Ann. Están todos sentados en el comedor. Carmen está sentada a la izquierda y enfrente de su hermana mayor Juanita. Manuel está sentado enfrente de Ann. y la abuela está sentada enfrente del abuelo y al lado de su hijo el siñor Martínez

B Jaime no está. Está durmiendo en su cama.

C La criada lleva la sopa. Se llama Paca y trabaja para la familia. Después de la sopa van a comer (**D**) ensalada, (lechuga, huevos y tomates) con pescado y carne con patatas. Luego, de postre, van a comer (**E**) frutas. Hay plátanos, manzanas y uvas blancas y negras.

Preguntas

A 1 ¿Qué van a hacer todos?
   2 ¿Dónde está sentada cada persona?
   3 ¿Está toda la familia aquí en el comedor?
B 4 ¿Qué está haciendo Jaime?
C 5 ¿Qué es una criada y qué hace por lo general?
D 6 ¿Qué van a comer en la cena?
E 7 ¿De qué color son los plátanos, las manzanas y las uvas?
   8 ¿De qué color es una lechuga, la leche, la crema?

Conversación

1 ¿A qué hora comen Vds. en casa?
2 ¿A qué hora van Vds. a cenar esta tarde?
3 ¿A qué hora desayunan Vds. por lo general?
4 Y tú, ¿qué frutas te gustan más?
5 ¿Qué bebidas te gustan más?
6 ¿Qué te gusta desayunar?
7 ¿Qué te gusta hacer por la tarde?

Composición

Describe tu casa y su posición; describe el jardín, las habitaciones y
lo que haces allí.

Ejercicio de repaso

1 ¿Cómo te llamas?
2 ¿Cuántos años tienes?
3 ¿Cuándo es tu cumpleaños?
4 ¿Dónde trabajan tu padre y tu madre?
5 ¿Dónde viven Vds?
6 ¿A cuántos estamos hoy?
7 ¿Qué tiempo hace hoy?
8 ¿En qué página del libro estamos?
9 ¿Cómo es tu jardín?
10 ¿De qué color es tu casa?
11 ¿Cómo vienes al colegio?
12 ¿Cuántos idiomas hablas?

31
treinta
y uno

La abuela de Manuel es vieja. Tiene setenta y dos años.

A Después de la cena hace el café. No trabaja mucho en la casa porque es vieja. Pero le gusta hacer el café.

B Coge los platillos y los pone en la bandeja.

C Coge las tazas y las pone en los platillos. Luego,

D coge el café y lo echa en las tazas. Por último,

E coge la leche y la echa en el café. Después de preparar el café, sale de la cocina y entra en el comedor con la bandeja.

Preguntas

A **1** La abuela, ¿es vieja o joven?
     2 ¿Cuántos años tiene?
     3 ¿Cómo es el abuelo?
     4 ¿Cómo son Carmen y Jaime?
     5 ¿Cuándo hace el café la abuela?
B **6** Cuando prepara el café, ¿qué hace primero?
C **7** ¿Qué hace después de poner los platillos en la bandeja?
D **8** ¿Qué hace después de poner las tazas en los platillos?
E **9** Y, ¿qué hace por último?
B **10** ¿Dónde pone los platillos?
C **11** ¿Dónde pone las tazas?
D **12** ¿Dónde echa el café?
E **13** ¿Dónde echa la leche?

Conversación

1 ¿Cuándo toman Vds. café en casa?
2 ¿Quién hace el café o el té en tu familia?
3 ¿Lo hace todos los días o algunas veces?
4 ¿Tienen Vds. abuela?
5 ¿Cuántos años tiene?

Cuando yo preparo el café, primero echo el café en la taza, luego echo la leche, luego echo el azúcar.

6 ¿Cómo preparas el café o el té? Cojo los platillos y los pongo . . .
7 ¿Qué te gusta más, el té o el café?
8 ¿Cómo te gusta el café? ¿Con leche o sólo?
9 ¿Toman Vds. café en tazas grandes o en tazas pequeñas?
10 ¿Toman Vds. té en tazas grandes o en tazas pequeñas?

Forma oraciones

El chico La chica La criada	abre	la puerta las ventanas	del	cuarto de baño. dormitorio. cuarto de estar.

Ejercicio

'Me gusta mucho estar en casa.' 'No me gusta trabajar.'
Usando este modelo, escoge cinco cosas en la lista que te gustan y cinco que no te gustan. Escribe diez oraciones completas.

(No) me gusta . . . . . .

la comida	la televisión
copiar	el azúcar
hablar español	la leche
escribir preguntas	leer
ir al campo	responder en la clase
escuchar la radio	volver a casa por la tarde
la conversación	comer ensalada
ir a la piscina	vivir en la ciudad
quedarme en casa	tomar el café sin azúcar
hacer el café	tener catorce años

Composición

Describe lo que pasa en la oficina del señor Martínez durante el día.

61

32
treinta
y dos

Después de tomar el café salen todos del comedor, pasan por el patio y entran en el cuarto de estar. La criada vuelve a la cocina y friega los platos (**A**).

Ann tiene muchas fotos de Inglaterra y su familia. Hay algunas fotos en blanco y negro y hay otras en color. (**B**) Ann busca las fotos en su bolso, (**C**) las saca y se las enseña a la familia. 'Ésta es una foto de mi familia,' dice ella. (**D**) 'Mis padres son altos. Mi madre es delgada y mi padre es gordo . . . Aquí está mi hermana menor. Se llama Jane y es baja y gordita. Mi hermano Peter es bajo también, como mi hermana, pero no es gordo como ella: él es delgado como mi madre.'

Preguntas 1
A 1 ¿Se quedan todos en el comedor?
  2 ¿Por dónde pasan?
  3 ¿Adónde van?
  4 ¿Qué hace la criada?

Preguntas 2

B 1 ¿Qué tiene Ann?

  2 ¿De qué color son las fotos?

  3 ¿De quién son las fotos?

C 4 ¿Qué hace Ann con las fotos?

  5 ¿Qué hacen los Martínez?

Preguntas 3

D 1 ¿Cómo es la madre de Ann?

  2 ¿Cómo es su padre? /

  3 ¿Cómo es Jane?

  4 ¿Cómo es Peter?

  5 ¿Cuántos hijos hay en la familia Hawkins?

Conversación

  1 ¿Cómo es tu padre?

  2 ¿Cómo es tu madre?

  3 ¿Cómo son tus hermanos?

  4 ¿Cómo eres tú?

  5 ¿Eres más alto o menos alto que tu padre?

  6 ¿Eres más alto o menos gordito que tu hermano(a)?

  7 ¿Quién es más alto, tu padre o tu madre?

  8 ¿Cómo sois tu hermano y tú?

  9 ¿Cómo sois tu amigo y tú?

10 ¿Te gusta sacar fotos?

11 ¿Tienes muchas fotos en casa?

12 ¿Son grandes o pequeñas?

13 ¿De qué color son?

14 ¿Son fotos de tus amigos?

15 ¿Qué más?

Forma oraciones completas

Los profesores	están	en	Londres.
Mis amigos	viven		Barcelona.
Muchas personas	son	de	Portugal.
Estos chicos	vienen		la capital.

Composición

Describe lo que hace tu padre o tu madre durante el día.

63

Ann está hablando.

(**A**) Estas son las mujeres de la familia. A la izquierda está mi madre. Yo estoy en medio de la foto con mi abuela y Jane está a la derecha. Mi abuela es vieja. Tiene ochenta y nueve años y tiene el pelo blanco. Yo tengo el pelo largo y rubio como mi madre, pero Jane tiene el pelo corto y castaño. Tiene los ojos marrones, pero mi madre y yo tenemos los ojos azules.

En esta foto Jane está de pie pero mi madre, mi abuela y yo estamos sentadas. A mi lado está nuestro perro, que se llama Rover. Tiene el pelo corto y la cola larga. Tenemos también un gato. Es negro y tiene las patas blancas. Le gusta mucho dormir en la falda de mi abuela.

Preguntas

A 1 ¿De quién es esta foto?
   2 ¿Dónde está cada persona?
   3 ¿Cuántos años tiene la abuela?
   4 ¿Cómo es su pelo?
   5 ¿Tiene Ann el pelo corto?
   6 ¿Tiene el pelo negro?
   7 ¿De qué color tiene los ojos?
   8 ¿De qué color tienen los ojos Ann y su madre?
   9 ¿Jane está sentada?
   10 Ann y su madre, ¿están de pie?
   11 ¿Cómo son los dos animales domésticos?

Conversación

   1 ¿Tienes el pelo largo o corto?
   2 ¿Tienes el pelo rubio, castaño o moreno?
   3 ¿Tienes los ojos azules o marrones?
   4 ¿Tiene tu madre el pelo largo o corto?
   5 ¿De qué color tiene ella el pelo?
   6 ¿De qué color tiene los ojos?
   7 ¿Cómo son tus padres?
   8 ¿Cómo son tus hermanos?
   9 ¿Son jóvenes o mayores?
   10 ¿Dónde están ahora?
   11 ¿Tienes abuelos?
   12 ¿Cómo son?
   13 ¿Es tu abuela mayor que tu abuelo?
   14 ¿Es más alta que él?
   15 ¿Tienes animales domésticos?
   16 ¿Cómo son?

Forma oraciones completas

La familia			aeropuerto	todos los días.
La secretaria	va	al	centro	todas las semanas.
El oficial de aduana			colegio	todos los fines de semana.
El padre de Miguel			edificio	
			garaje	

Don Antonio, el marido de la señora de Martínez, va a enseñar a
Ann el dormitorio donde ella va a dormir. (**A**) Sube la escalera con
su maleta. (**B**) Entra en el dormitorio y (**C**) pone la maleta en una
silla cerca de la cama. (**D**) Sale de la habitación diciendo '¡Buenas
noches!' a Ann.

Vuelve al cuarto de estar donde su esposa, sus padres y sus hijos ven
la televisión. (**E**) Ann coge la maleta, (**F**) la pone en la cama, (**G**) la
abre y (**H**) saca su cepillo y pasta de dientes. Luego va al cuarto de
baño.

Preguntas

1 ¿Quién es don Antonio?
2 ¿Qué va a hacer?
3 ¿Adónde va?
4 ¿Qué hace con la maleta?
5 ¿Qué le dice a Ann?
6 ¿Quiénes son los padres del señor?
7 ¿Quién es su esposa?
8 ¿Qué hace Ann con la maleta?
9 ¿Qué saca de la maleta?
0 ¿Adónde va después?

Conversación 1

1 ¿Qué haces tú para llegar a tu dormitorio?
2 ¿Subes la escalera o la bajas por la mañana?
3 ¿Dónde duermes? ¿En el cuarto de baño?
4 ¿Cómo es tu dormitorio? ¿Grande o pequeño?
5 ¿Cómo es tu cama?
6 ¿Tienes una silla? ¿Dónde está?
7 ¿Dónde está tu cama, cerca de la ventana o cerca de la puerta?
8 ¿Qué dices a tus padres cuando vas a dormir?
9 ¿Dónde está tu cepillo de dientes? ¿En tu dormitorio?
0 ¿Dónde está tu pasta de dientes?
1 ¿Tienes una televisión en blanco y negro o en color?

Conversación 2

Por la mañana decimos '¡Buenos días!'
Y decimos '¡Adiós y buenas tardes!' o '¡Adiós, hasta mañana!' por la tarde.
¿Qué decís cuando el profesor entra por la mañana?
¿Qué decís cuando sale por la tarde?
¿Qué dicen Vds. en casa por la noche cuando Vds. van a dormir?

Composición

Describe a tres personas de tu familia.

(**A**) Luego Ann se limpia los dientes con su cepillo de dientes. (**B**) Bebe un vaso de agua fría, (**C**) se lava la cara con agua caliente, (**D**) se seca con una toalla pequeña, (**E**) se peina con un peine grande

Después de volver al dormitorio, (**F**) se sienta en la cama y mira lo muebles. A un lado, cerca de la silla hay un estante para libros, y a otro lado, cerca de la puerta, hay una cómoda. A Ann le gusta l habitación. Lee algunas páginas de uno de los libros, (**G**) se acuest en la cama y pronto se duerme.

Preguntas
1 ¿Con qué se limpia Ann los dientes?
2 ¿Qué hace luego?

3 ¿Se lava la cara con agua fría?
4 ¿Qué hace con la toalla?
5 ¿Cómo es la toalla?
6 ¿Con qué se peina?
7 ¿Cómo es el peine?
8 ¿Qué hace después de peinarse?
9 ¿Qué hace después de volver al dormitorio?
0 ¿Qué hay en la habitación?
1 ¿Qué hace Ann por último?

Conversación 1

Por la noche me limpio los dientes con un cepillo,
me lavo la cara con agua caliente,
me seco con una toalla roja y amarilla,
me peino con un peine grande,
vuelvo al dormitorio y
me acuesto en la cama.

¿Qué haces tú en el cuarto de baño por la noche?
¿Qué haces antes de secarte?
¿Qué haces después de lavarte la cara?
¿Qué haces antes de acostarte?
¿Qué haces después de volver al dormitorio?

Conversación 2

En el dibujo A, Ann está limpiándose los dientes.
¿Qué está haciendo en el dibujo B?
¿Qué está haciendo en el dibujo C?
¿Qué está haciendo en los otros dibujos?

Forma doce oraciones completas

A las	?	de la	mañana tarde noche	me gusta	preparar comer beber	?

Actividad

Dibuja un mapa de España. Escribe los nombres de las regiones, las ciudades y los ríos más importantes. Escribe seis oraciones describiendo la posición de dos regiones, dos ríos y dos ciudades.

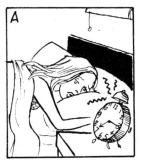 

(**A**) A las siete y cuarto de la mañana Ann se despierta, (**B**) se levant
y va al cuarto de baño. Se lava con agua caliente y jabón, se limpi
los dientes, se seca y vuelve al dormitorio.

  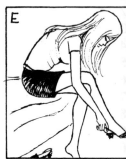

Coge su maleta, la abre y (**C**) saca su ropa para vestirse.
(**D**) Se pone una falda azul, una blusa amarilla y después (**E**) malla
blancas con zapatos negros. (**F**) Se pone por último una cinta negr
en el pelo rubio. (**G**) Se mira en el espejo y se dice: '¡No estoy mal

Preguntas
1 ¿Qué hace Ann a las siete y cuarto?
2 ¿Qué hace después de despertarse?
3 ¿Con qué se lava?
4 ¿Qué hace después de lavarse?

5 ¿Dónde se viste?
6 ¿Qué se pone?
7 ¿De qué color es la falda?
8 ¿Qué es una mini falda?
9 ¿De qué color es la blusa?
0 ¿De qué color son las mallas y los zapatos?
1 ¿Tiene Ann el pelo castaño?
2 ¿Qué se pone por último?
3 ¿Qué se dice después de mirarse al espejo?

Conversación

1 ¿A qué hora te despiertas?
2 ¿A qué hora te levantas?
3 ¿Qué haces después de levantarte?
4 ¿A qué hora te acuestas?
5 ¿Qué haces antes de acostarte?
6 En el dibujo A ¿Qué está haciendo Ann?
7 ¿Qué está haciendo en los otros dibujos?
8 ¿Cuándo te levantas, antes de lavarte o después de lavarte?
9 ¿Cuándo te secas, antes de lavarte o después de lavarte?
0 ¿Cuándo te miras en el espejo, antes de vestirte o después de vestirte?

Forma oraciones

Mi padre Mi hermano Enrique Carlita	y yo, vamos a	llegar venir ir trabajar volver	por la	noche. tarde. mañana.

Composición

Di cómo te gusta tomar el té, el café y otras bebidas.

71

 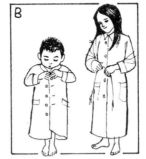

Todos los días por la mañana Carmen y Jaime se levantan, (**A**) se quitan el pijama y (**B**) se ponen una bata. Entran en el cuarto de baño y cierran la puerta. (**C**) Ella toma una ducha y él toma un baño.

El niño se sienta en el agua y (**D**) juega con sus juguetes. Tiene un barco rojo y amarillo y dos patos blancos. Está muy contento jugando en el agua. (**E**) Carmen se lava la cara y el cuerpo, (**F**) las manos y los brazos (**G**) las piernas y los pies. Luego sale de la ducha con una toalla alrededor del cuerpo, (**H**) da el jabón a Jaime, y le ayuda a lavarse. Vuelven los dos al dormitorio y se visten.

Preguntas

1 ¿Qué hacen Carmen y Jaime por la mañana?
2 ¿Qué hacen después de entrar en el cuarto de baño?

3 ¿Quién toma un baño, él o ella?
4 ¿Quién toma una ducha?
5 ¿Qué hace Jaime en el baño?
6 ¿Qué juguetes tiene?
7 ¿De qué color son?
8 ¿Cómo se lava Carmen?
9 ¿Qué da a Jaime cuando sale de la ducha?
10 ¿Qué hace luego?
1 ¿Adónde van después?
2 ¿Qué hacen en el dormitorio?
3 ¿Qué están haciendo los niños en cada dibujo?

Conversación

1 ¿A qué hora te levantas?
2 ¿Qué haces por la mañana antes de ir al cuarto de baño?
3 ¿Qué haces en el cuarto de baño?
4 ¿Tomas un baño o una ducha?
5 ¿Qué prefieres?
6 ¿Con qué te lavas los brazos y las piernas?
7 ¿Con qué te secas?
8 ¿Con qué te limpias los dientes?
9 ¿De qué color es tu pijama o tu camisón?
0 ¿De qué color es tu pasta de dientes?
1 ¿De qué color es tu cepillo?
2 ¿Qué haces cuando sales del dormitorio?

Forma oraciones

A mi abuela		preparar el café.
A Juana		ir a la plaza mayor.
Al señor	le gusta	abrir todas las ventanas.
A la profesora		escribir a máquina.
Al profesor		quedarse en casa.
		ver la televisión.
		dormir nueve horas.

Composición

Lo que vas a hacer el fin de semana que viene.

38 treinta y ocho

A Esta mañana Jaime se pone primero unos calcetines grises. Luego se pone unos zapatos negros.

B En este dibujo lleva también un pantalón negro, y una camisa blanca y negra.

C Carmen se pone calcetines blancos con zapatos marrones. Lleva también un vestido verde con flores amarillas.

D Se pone cintas amarillas en las trenzas castañas.

E El señor Martínez lleva un traje gris y azul. Lleva una chaqueta gris y azul con pantalones grises y azules también. Tiene una corbata negra y roja, calcetines grises y zapatos negros. Tiene un sombrero gris en la mano izquierda. En la mano derecha no tiene nada.

F Manuel lleva un paraguas cuando va a llover.

G Lleva un traje de baño cuando va a nadar.

H Lleva un abrigo cuando hace frío.

Preguntas 1

A 1 ¿Qué se pone Jaime primero? **2** ¿Qué se pone luego?

B 3 ¿Qué lleva también?

C 4 ¿Qué se pone Carmen?　　　**5** ¿De qué color es su vestido?

　6 ¿De qué color son sus zapatos?

D 7 ¿Qué lleva en el pelo?　　　**8** ¿Tiene las trenzas rubias?

Preguntas 2

E 1 ¿De qué color es la chaqueta del señor?

　2 ¿De qué color son sus pantalones?

　3 ¿De qué color es su corbata?

　4 ¿De qué color son sus calcetines y zapatos?

　5 ¿Qué tiene en la mano izquierda?

　6 ¿Qué tiene en la mano derecha?

Preguntas 3

F 1 ¿Cuándo lleva Manuel un paraguas?

G 2 ¿Qué lleva cuando va a nadar?

H 3 ¿Cuándo lleva un abrigo?

Conversación

　1 ¿Qué ropa llevas hoy?

　2 ¿Qué lleva tu amigo hoy?

　3 ¿Cómo tiene el pelo?

　4 ¿Cómo eres?

　5 ¿Qué te gusta llevar?

　6 ¿Qué color prefieres?

　7 ¿Qué no te gusta llevar?

　8 ¿Cómo te gusta el pelo de los chicos? ¿Largo o corto?

　9 ¿Cómo te gusta el pelo de las chicas?

10 ¿De qué color te gustan los zapatos?

Forma oraciones

Los árboles		alrededor		banco.
Las casas	están	cerca	del	aeropuerto.
Los edificios		lejos		colegio.
		al lado		centro.

Composición

Describe la cena de esta noche.

75

39 *treinta y nueve*

La señora de Martínez tiene una cocina grande. Aquí se ve una ilustración de la habitación. En la cocina hay muchas cosas que sirven para preparar la comida y lavar la ropa de la familia.

A la izquierda, cerca de la mesa, hay una nevera, donde la señora guarda la leche, la crema, el queso, los huevos y la carne. Se conservan fríos en la nevera. En un rincón, hay un armario (**A**), con un cajón (**B**) donde se guardan los cubiertos (los tenedores, los cuchillos y las cucharas). Al lado del armario está el fregadero (**C**), donde se friegan los cubiertos, los vasos, las tazas, los platillos y otras cosas.

Al otro lado de la cocina está la cocina de gas (**D**) donde se cocina la comida. En el rincón hay una lavadora eléctrica (**E**), donde se lava la ropa sucia. Entre la lavadora y la cocina está la secadora centrífuga (**F**) donde se seca la ropa limpia.

En la ilustración se ven las dos ventanas; una ventana pequeña a la izquierda, y una ventana grande a la derecha. Entre las ventanas hay dos alacenas; una alacena grande a la izquierda, y una alacena pequeña a la derecha. En las alacenas se guardan los platos y las tazas. En el rincón se ve un estante para libros donde la señora guarda los libros de cocina, un calendario y un reloj.

Preguntas 1
1 ¿Qué hay cerca de la puerta?
2 ¿Para qué sirve una nevera?
3 ¿Dónde está el armario?
4 ¿Para qué sirve el cajón?
5 ¿Qué se hace en un fregadero?
6 ¿Dónde está el fregadero?
7 ¿Para qué sirve una cocina de gas?

Preguntas 2
1 ¿Dónde está la secadora centrífuga?
2 ¿Qué se hace con una secadora?
3 ¿Dónde está la lavadora eléctrica?
4 ¿Para qué sirve?
5 ¿Qué se ve entre las ventanas?
6 ¿Dónde está la alacena pequeña?
7 ¿Para qué sirve una alacena?
8 ¿Qué se ve en el rincón entre las alacenas?

Conversación
'En mi cocina el fregadero está cerca de la ventana. Sirve para lavar los platos y las tazas. Es un fregadero blanco y azul.'
Usando este modelo, describe las cosas de tu cocina.

¿Qué hora es?
4.15.   3.20.   2.30.   1.05.   5.40.   9.45.   8.25.   10.50.   6.35.
11.45.

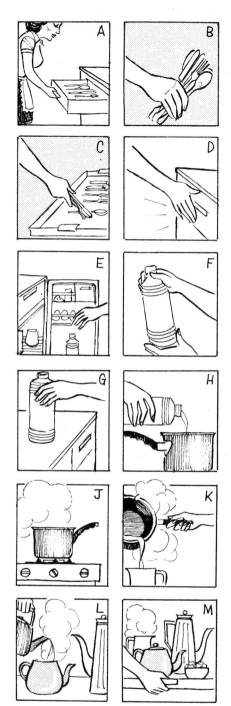

40 cuarenta

Por la mañana la señora prepara el desayuno. Abre un cajón (**A**), saca los cubiertos (**B**)

y los pone en una bandeja (**C**). Vuelve al cajón y lo cierra (**D**).

Abre la nevera (**E**), saca una botella de leche fría (**F**) y la pone en el armario (**G**).

Echa la leche en una cacerola (**H**) y la pone en la cocina (**J**).

Cuando está caliente la echa en un jarro (**K**).

Después de calentar el agua para el té y el café, la echa en la tetera y la cafetera (**L**). Coge el jarro, la tetera y la cafetera y los pone en la bandeja con la azucarera. Por último lleva todo al comedor y lo pone en la mesa (**M**).

Preguntas

A 1 ¿Qué hace la señora primero?
B 2 ¿Qué hace después de abrirlo?
C 3 ¿Qué hace después de sacarlos?
D 4 ¿Qué hace luego?
E 5 ¿Qué abre ella luego?
F 6 ¿Qué saca de la nevera?
G 7 ¿Dónde la pone?
H 8 ¿Dónde echa la leche?
J 9 ¿Dónde la pone luego?
K 10 ¿Qué hace cuando la leche está caliente?
L 11 ¿Dónde echa la leche caliente?
M 12 ¿Qué hace con la tetera, la cafetera y la azucarera?
13 ¿Qué hace la señora por último?
14 ¿Qué se echa en una tetera?
15 ¿Para qué sirven una cafetera y una azucarera?

Conversación

1 Cuando preparas el café en casa ¿qué haces primero?
2 ¿De dónde sacas el azúcar, la leche y el café?
3 ¿Dónde los echas?
4 ¿De dónde sacas los platillos, las tazas, las cucharas y la azucarera?
5 ¿Dónde los pones?
6 ¿Qué haces cuando preparas el té?

¿Qué hora es?

10.40 am.   10.45 pm.   5.30 pm.   4.05 am.   3.55 pm.   9.10 am.
3.45 am.   6.20 pm.   7.35 am.   2.25 pm.

Pronuncia las fechas y escríbelas

5.vi.   17.xii.   30.viii.   11.iv.   25.x.   19.v.   14.ii.   4.xi.   15.vii.
26.ix.   18.i.   28.iii.

41 *cuarenta y uno*

El abuelo de Manuel tiene ochenta y dos años.
Tiene la barba larga y gris. Después del desayuno le gusta leer los periódicos.

A Se sienta en el sillón.
B Coge el tabaco y lo mete en la pipa.
C Coge la pipa y se la mete en la boca.
D Coge las gafas y se las pone sobre la nariz
E Luego coge los periódicos y los lee. Está muy contento.

Preguntas
1 ¿Cómo es el abuelo de Manuel?
2 ¿Cuántos años tiene?
3 ¿Tiene la barba corta y blanca?
4 ¿Cuándo le gusta leer?
5 ¿Dónde se sienta?
6 ¿Qué es un sillón?
7 ¿Qué hace cuando coge el tabaco?
8 ¿Qué hace con la pipa?
9 ¿Dónde pone las gafas?
10 ¿Qué hace con los periódicos?
11 ¿Qué hace el abuelo de Manuel por la mañana?

Conversación 1
Después del desayuno mañana por la mañana, el abuelo de Manuel va a fumar y leer los periódicos.
1 ¿Qué va a hacer con el tabaco?   Va a meterlo en la pipa.
2 ¿Qué va a hacer con la pipa?   ....
3 ¿Qué va a hacer con las gafas?   ....
4 ¿Qué va a hacer con los periódicos?   ....

Conversación 2
Mi familia y yo nos levantamos a las siete de la mañana. Nos lavamos en el cuarto de baño, nos limpiamos los dientes, volvemos al dormitorio, bajamos a la cocina y nos sentamos a la mesa.
1 ¿Qué hacen Vds. en casa por la mañana?
2 ¿Dónde se lavan Vds.?
3 ¿Con qué se limpian Vds. los dientes?
4 ¿Con qué se secan Vds. la cara?
5 ¿En qué habitación se sientan Vds. a la mesa?

¿Cuántas son?
37 + 23;   85 − 4;   50 + 28;   89 + 11;
39 + 20;   72 + 14;   66 − 5;   20 + 32;
41 + 27;   81 − 9;   84 + 14;   63 − 50.

Escribe los problemas.

Forma oraciones

Tu	hermana secretaria criada profesora	es más	gordita alta rubia delgada baja	que tú.

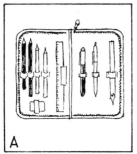

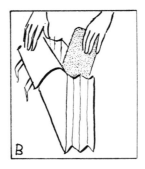

Antes di ir al colegio, (**A**) Manuel coge su plumier y lo abre para ver si tiene su pluma, sus lápices de colores, los bolígrafos, la regla y la goma. (**B**) Cierra el plumier y lo mete en la cartera. Los cuadernos y los libros están en el pupitre en el colegio. A Manuel no le gusta llevar los libros a casa. (**C**) Coge el abrigo y se lo pone.

Abre la puerta, sale de la casa, cierra la puerta y (**D**) va a la parada, donde se encuentra con sus amigos. Cuando llega el autobús, Manuel sube con ellos. Unos minutos después, bajan del autobús cerca del colegio. Son las nueve y veinticinco.

Preguntas

1 ¿Qué hace Manuel con el plumier?
2 ¿Qué hay en el plumier?
3 ¿Qué hace después de cerrar el plumier?
4 ¿Dónde están los libros y los cuadernos?
5 ¿Qué es lo que no le gusta a Manuel?
6 ¿Qué hace después de meter el plumier en la cartera?
7 ¿Qué hace antes de salir de casa?
8 ¿Adónde va después?
9 ¿Con quién se encuentra?
10 ¿Qué hacen los amigos luego?
11 ¿A qué hora llegan al colegio?
12 ¿Están lejos del colegio cuando bajan del autobús?

Conversación 1

1 ¿Cuándo vas al colegio?
2 ¿Tienes un plumier?
3 ¿Qué hay en tu plumier?
4 ¿Qué hay en tu pupitre?
5 ¿Qué tienes en la cartera?
6 ¿Qué haces por la mañana antes de salir de casa?
7 ¿Qué haces después de abrir la puerta?
8 ¿Esperas un autobús?
9 ¿Cómo vienes al colegio, en taxi o en bicicleta?
10 ¿Dónde bajas?
11 ¿A qué hora llegas al colegio?
12 Tu casa, ¿está lejos o cerca del colegio?

Conversación 2

En mi casa nosotros nos acostamos a las once. Subimos la escalera, entramos en el dormitorio, nos quitamos la ropa y nos ponemos el pijama.

1 ¿Qué hacen Vds. cuando se acuestan?

Luego vamos al cuarto de baño. Allí nos limpiamos los dientes, nos lavamos y nos secamos. Salimos y volvemos al dormitorio donde nos acostamos.

2 ¿Qué hacen Vds. antes de acostarse?

Por la mañana nos lavamos, nos vestimos, bajamos la escalera, nos sentamos en la cocina y desayunamos.

3 ¿Qué hacen Vds. después de levantarse?

Composición

Lo que haces todos los días antes de ir al colegio.

43 cuarenta y tres

El horario indica las horas de las clases. Manuel estudia diez asig
naturas. Son: matemáticas, física, química, biología, música, arte
español, inglés, geografía e historia.
A Manuel le gustan mucho la geografía y la historia. No le gustan
mucho los idiomas. Prefiere las ciencias.
La primera lección del día empieza a las nueve y media.
La última lección empieza a las cinco. Por la mañana hay un recreo
que dura quince minutos. Las clases terminan por la mañana a las
doce y media, y por la tarde terminan a las seis.
En España no hay clases entre la una y las cuatro, porque hace
mucho calor. Es la hora de la siesta.

	lunes	martes	miércoles	jueves	viernes
9.30	física	español	física	inglés	matemáticas
10¹⁵	inglés	inglés	física	música	inglés
11⁰⁰	RECREO				
11¹⁵	biología	arte	geografía	matemáticas	geografía
12⁰⁰	matemáticas	arte	historia	geografía	español
12³⁰	COMIDA Y SIESTA				
4⁰⁰	historia	química	inglés	historia	educación física
5⁰⁰ 6⁰⁰	español	química	matemáticas	español	

84

Preguntas

1 ¿Qué indica el horario?
2 ¿Cuántas asignaturas estudia Manuel?
3 ¿Qué idiomas estudia?
4 ¿Qué ciencias?
5 ¿Qué no te gusta estudiar?
6 ¿Qué prefiere?
7 ¿A qué hora empieza la primera lección del día?
8 ¿A qué hora empiezan y terminan tus lecciones?
9 ¿Cuánto tiempo dura el recreo?
0 ¿Cuándo terminan las clases?
1 ¿Cuándo estudia Manuel la biología?
2 ¿Qué hacen los españoles entre la una y las cuatro?
3 ¿Cuánto tiempo duran las clases en el colegio de Manuel?

Conversación

1 ¿Cuántas asignatures estudias?
2 ¿Qué ciencias estudias?
3 ¿Qué idiomas?
4 ¿Qué te gusta estudiar?
5 ¿Qué no te gusta estudiar?
6 ¿Cuál es la asignatura que prefieres?
7 ¿Por qué?
8 ¿A qué hora empiezan y terminan tus lecciones?
9 ¿Cuánto tiempo duran?
0 ¿Qué haces desde las doce y media hasta las dos?
1 ¿Cuántas lecciones de inglés tienes por semana?
2 ¿Por qué no hay siesta en Inglaterra?

Forma oraciones

Antes Después	del desayuno de la comida de la cena	la criada mi abuela	sale de la casa. va a la plaza mayor. prepara una bebida. lee un periódico.

85

A El señor Torres mira un barco en el mar.

B Mira a una chica que toma el sol en el barco.

C Alejandro espera un autobús en la parada.

D Mari-Carmen espera a un amigo en una esquina.

E Este artista pinta un árbol en el campo.

F Este artista pinta a una modelo en el estudio.

G Carmen mete unos juguetes en el agua.

H Mete a su hermano en el agua.

J La recepcionista recibe el correo (las cartas) por la mañana.

K Recibe a los turistas que vienen al hotel.

86

44 cuarenta y cuatro

Preguntas 1

A 1 ¿Qué mira el señor Torres?

B 2 ¿A quién mira en este dibujo?
¿Dónde está la chica?

C 3 ¿Qué espera Alejandro?

D 4 ¿A quién espera Mari-Carmen?
¿Dónde lo espera?

E 5 ¿Qué pinta el artista en el campo?

F 6 ¿A quién pinta en el estudio?
¿Dónde la pinta?

G 7 ¿Qué mete Carmen en el agua?

H 8 ¿A quién mete en el agua?
¿Dónde están los hermanos?

J 9 ¿Qué recibe la recepcionista por la mañana?

K 10 ¿A quién recibe todo el día?
¿Dónde trabaja ella?

Preguntas 2

¿Qué hace el señor Torres?
¿Qué hacen Alejandro y Mari-Carmen?
¿Qué hacen los artistas?
¿Qué hace Carmen en el cuarto de baño?
¿Qué hace la recepcionista en el hotel?

Conversación

1 ¿A qué hora sales del colegio por la tarde?
2 ¿Esperas a un amigo?
3 ¿A quién esperas?
4 ¿A quién ves al volver a casa?
5 ¿Qué ves al entrar en tu cuarto de estar?
6 ¿A quién ayudas en casa?
7 ¿A quién llevas contigo cuando vas al cine?
8 ¿Qué llevas contigo cuando vienes al colegio?
9 ¿Visitas a alguien los fines de semana?
10 ¿A quién visitas?

Composición

Lo que haces por la noche antes de acostarte.

lunes	martes	miércoles	jueves	viernes	sábado	domingo
		1	2	3	4	5
6	7	8	9	10	11	12
13	14	15	16	17	18	19
20	21	22	23	24	25	26
27	28	29	30	31		

Aquí tenemos un calendario del mes de agosto.

Hoy es el día quince de agosto. Ayer fue el día catorce.

Hoy es miércoles. Ayer fue martes. Anteayer fue lunes.

Hace tres días fue domingo. Hace una semana fue el día ocho. Hac
dos semanas fue el día uno.

A Por lo general, Manuel s
levanta a las ocho de l
mañana, pero ayer s
levantó tarde.

B Se levantó a las ocho
cuarto.

C Por lo general, desayuna
las ocho y media,

D pero ayer desayunó a la
nueve menos cuarto.

E Por lo general, coge e
autobús a las nueve,

F pero ayer lo cogió a la
nueve y cuarto.

G Por lo general, llega a
colegio a las nueve y media

H pero ayer llegó a las die
menos cuarto.

45

uarenta

cinco

Preguntas

1 ¿Qué fecha indica el calendario?
2 ¿Qué fecha fue ayer?
3 ¿Qué día fue ayer?
4 ¿Cuándo fue lunes?
5 ¿Cuándo fue domingo?
6 ¿Cuándo fue el día ocho?
7 ¿Cuándo fue el día uno?
8 ¿A qué hora se levantó Manuel?
9 ¿A qué hora se levanta por lo general?
10 ¿A qué hora desayuna por lo general?
11 ¿A qué hora desayunó ayer?
12 ¿Qué hizo ayer por la mañana?

onversación

yer mi mujer se despertó a las siete. Fue al cuarto de baño, donde
· lavó, se peinó y se limpió los dientes.
¿Qué hizo tu madre esta mañana antes de vestirse?

yer mi mujer volvió al dormitorio, donde se quitó el pijama y se
stió.
¿Qué hizo tu padre esta mañana antes del desayuno?

·espués de vestirse, mi mujer bajó la escalera, entró en la cocina y
npezó a desayunar a las siete y media. Tomó pan tostado con
·antequilla y mermelada y tomó café con leche.
¿Qué hizo tu padre después de vestirse?
¿Qué tomó de desayuno?

orma oraciones

Antes de Después de	ir al cine escribir la composición tomar el café comer la ensalada fregar los platos	vemos la televisión. subimos al dormitorio. escuchamos la radio.

omposición

escribe tu horario y di qué clases te gustan más.

89

46 *cuarenta y seis*

El año tiene doce meses. Tiene también cuatro estaciones.
Son: primavera, verano, otoño e invierno.

Los meses de la primavera son: marzo, abril y mayo.
Los meses del verano son: junio, julio y agosto.
Los del otoño son: septiembre, octubre y noviembre.
Los del invierno son: diciembre, enero y febrero.

La primavera es la primera estación.
El verano es la segunda estación.
El otoño es la tercera,
y el invierno es la cuarta o la última estación del año.

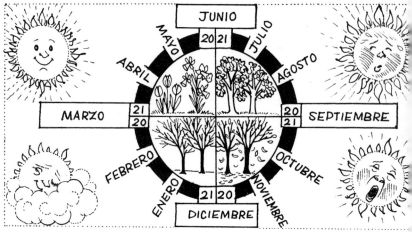

En la primavera hay muchas flores rojas y amarillas en los jardines
en los campos. En el verano las hojas de los árboles son verdes. En
otoño caen las hojas y se ponen amarillas y marrones. En el invierno
hay pocas hojas en los árboles.

La primavera empieza el 21 de marzo y termina el 20 de junio.
El verano empieza el 21 de junio y termina el 20 de septiembre.
El otoño empieza el 21 de septiembre y termina el 20 de diciembre.
El invierno empieza el 21 de diciembre y termina el 20 de marzo.

Preguntas 1

1 ¿Cuántos meses tiene el año?
2 ¿Cuántas estaciones?
3 ¿Cómo se llaman?
4 ¿Cuáles son los meses de la primavera?
5 ¿Cuáles son los del otoño?
6 ¿Cuál es la segunda estación?
7 ¿Es el invierno la tercera estación?
8 ¿Qué hay en los jardines en la primavera?
9 ¿De qué color son las hojas en el verano?
10 ¿De qué color son en el otoño?
11 ¿Qué pasa en el invierno?
12 ¿Cuándo empieza cada estación?
13 ¿Cuándo termina?
14 ¿Cuál es el último mes del año?

Preguntas 2

1 ¿Cuándo es tu cumpleaños?
2 ¿A cuántos estamos hoy?
3 ¿Cuándo es el cumpleaños de tu hermano(a)?
4 ¿En qué estación estamos ahora?
5 ¿En qué mes estamos?
6 ¿Qué fecha fue ayer?
7 ¿Qué fecha fue anteayer?

Conversación

Ayer por la mañana mi amigo se durmió. Generalmente (por lo general), se despierta a las 7.00 pero ayer no oyó el reloj y se despertó a las 7.30. Miró el reloj, vio la hora y dijo, '¡Caramba! ¡Es tarde! ¡Qué horror! ¡No voy a desayunar esta mañana!'

1 ¿Se despertó mi amigo tarde o temprano?
2 ¿Cuánto durmió? ¿Mucho o poco?
3 ¿A qué hora se despierta generalmente?
4 ¿Qué no oyó esta mañana?
5 ¿A qué hora se despertó?
6 ¿Qué hizo luego?
7 ¿Qué dijo?

91

Mi amigo se lavó, pero no se secó. Se vistió, pero no se puso corbata. Tomó una taza de café, pero no comió nada. Salió de casa, pero no cerró la puerta. Cruzó el jardín corriendo, abrió el garaje, sacó el coche y llegó tarde a la oficina.

8 ¿Se lavó y se secó?
9 ¿Se vistió y se puso una corbata?
10 ¿Bebió y comió?
11 ¿Salió de la casa y cerró la puerta?
12 ¿Qué hizo cuando salió de casa?
13 ¿Llegó a la oficina en punto?

Forma oraciones

Mi	padre hermano abuelo hijo	es más	gordito alto rubio delgado bajo	que yo.

Escribe al dictado del profesor:
La historia de Manuel en la página 88.

¿Qué hora es?
5.25.   4.30.   3.40.   2.15.   6.50.   10.55.   12.00.   9.35.   7.45.
12.55

Composición
Descripción de un(a) amigo(a). Di lo que lleva puesto hoy y lo que le gusta llevar algunas veces.

Es un día de primavera. Carmen está en el jardín. Lleva una falda negra y una blusa amarilla, pero no lleva sombrero. Hace viento y sol y hay muchas nubes blancas en el cielo azul. Los pájaros hacen sus nidos en los árboles y cantan mucho.

Preguntas 1

¿En qué estación estamos en el dibujo?
¿Dónde está Carmen?
¿Quién es Carmen?
¿Cómo es ella?
¿Qué lleva puesto?
¿De qué color tiene el sombrero?
¿Qué tiempo hace?
¿Qué se ve en el cielo?
¿Qué hacen los pájaros?

Es un día de verano. Manuel va en bicicleta por el campo. Lleva pantalones cortos, una camisa blanca y un sombrero en la cabeza. No es necesario llevar mucha ropa porque hace mucho calor, pero es necesario llevar un sombrero porque hace sol. No hay nubes en el cielo y no hace viento. Los pájaros cantan en las ramas de los árboles y vuelan en el cielo.

93

Preguntas 2

1 ¿Estamos en primavera ahora?
2 ¿Dónde está Manuel?
3 ¿Va en coche?
4 ¿Está en la ciudad?
5 ¿Qué lleva Manuel?
6 ¿Por qué no es necesario llevar mucha ropa?
7 ¿Por qué es necesario llevar un sombrero?
8 ¿Qué tiempo hace en verano?
9 ¿Qué tiempo hace en primavera?
10 ¿Qué tiempo hace hoy?
11 ¿De qué color son los árboles?
12 ¿Dónde cantan los pájaros?
13 ¿Qué hacen también?

Conversación

Por lo general, me despierto a las 7.15, pero esta mañana me desperté a las 7.00. Me desperté temprano.

1 ¿A qué hora te despiertas por lo general?
2 ¿A qué hora te despertaste esta mañana?
3 ¿Te despertaste tarde, temprano o en punto?

Por lo general, desayuno a las 7.45, pero esta mañana desayuné a las 7.30. Desayuné temprano.

4 ¿A qué hora desayunas por lo general?
5 ¿A qué hora desayunaste esta mañana?
6 ¿Desayunaste tarde, temprano o en punto?

Por lo general, llego al colegio a las 8.30, pero esta mañana llegué a las 8.15. Llegué temprano.

7 ¿A qué hora llegas al colegio por lo general?
8 ¿A qué hora llegaste hoy?
9 ¿Llegaste tarde, temprano o en punto?

Forma oraciones

A la izquierda A la derecha En la planta baja En el primer piso	está	el despacho. la cocina.
	están	las habitaciones grandes. los libros de mi hermana.

Composición

Describe tu casa y las habitaciones y cosas que hay en ella.

48 *cuarenta y ocho*

s el otoño, la estación de las frutas, y estamos en Inglaterra. Hay
nanzanas y peras en los árboles. Las hojas, amarillas y rojas, caen de
os árboles y vuelan en el viento.

l señor Johnson está en la calle. Lleva un abrigo, porque hace
resco, y un paraguas, porque está lloviendo. Llueve mucho en el
toño. El señor lleva una caja de fuegos artificiales. Es un regalo
ara sus niños. Van a celebrar el día de Guy Fawkes, porque es el
inco de noviembre.

reguntas
1 ¿En qué estación estamos ahora?
2 ¿En qué país estamos?
3 ¿Qué hay en los árboles?
4 ¿De qué color son las hojas?
5 ¿Qué lleva el señor Johnson?
6 ¿Qué tiempo hace?
7 ¿Cuándo llueve mucho?
8 ¿Qué tiene el señor en la caja?
9 ¿Para quién es?
0 ¿Qué día van a celebrar?
1 ¿Qué día es el día de Guy Fawkes?
2 ¿A cuántos estamos hoy?
3 ¿Qué es necesario llevar cuando hace fresco?
4 ¿Qué es necesario llevar cuando está lloviendo?
5 ¿Qué es necesario llevar cuando hace mucho sol?

Es el invierno. Los niños están jugando en el parque. Llevan mucha ropa. Es necesario llevar mucha, porque hace frío. Tiran bolas d nieve. Está nevando. En el invierno nieva mucho, sobre todo en la montañas. No hay hojas en los árboles, no hay pájaros, y el cielo est gris y oscuro. No es como en el verano, que está claro y sin nubes. A los niños les gusta mucho el invierno porque van a celebrar l Navidad el 25 de diciembre. Esperan con alegría los regalos que van recibir de sus amigos y sus padres.

Preguntas
  1 ¿En qué estación estamos en este dibujo?
  2 ¿Qué están haciendo los niños?
  3 ¿Por qué llevan mucha ropa?
  4 ¿Está lloviendo?
  5 ¿Cuándo nieva mucho?
  6 ¿Dónde nieva sobre todo?
  7 ¿Cómo está el cielo?
  8 ¿Cómo está en el verano?
  9 ¿Por qué les gusta mucho el invierno a los niños?
10 ¿Qué día es Navidad?
11 ¿Qué día es Guy Fawkes?
12 ¿Qué van a recibir los niños?
13 ¿De quiénes los reciben?
14 ¿Qué vas a hacer en Navidad?
15 ¿Qué son la Navidad y el día de Guy Fawkes?
16 ¿Qué estación prefieres?
17 ¿Por qué?

Conversación

Esta mañana a las 7.15 bajé la escalera, entré en la cocina y desayuné con mi mujer.

1 ¿Qué hiciste tú esta mañana?

En el desayuno comí una tortilla y pan con mantequilla y mermelada. Tomé dos tazas de café.

2 ¿Qué desayunaste tú?

Después de desayunar me puse el abrigo, abrí la puerta y salí de casa.

3 ¿Qué hiciste tú después del desayuno?

Luego cerré la puerta, fui a la parada y esperé el autobús.

4 ¿Qué hiciste tú después de salir de casa?

Forma seis oraciones completas, usando el modelo

A la derecha	hay	un	?
A la izquierda			
En el centro		una	?

Escribe al dictado del profesor:

La historia del amigo en las páginas 91 y 92.

Pronuncia las fechas y escríbelas

31.i.   11.vii.   26.iii.   5.xi.   19.v.   13.xii.   8.ix.   30.vi.   9.ii.
20.iv.   12.viii.   22.x.

Composición

Describe lo que ves desde la ventana de tu dormitorio. Por ejemplo:
'A la derecha hay . . .'

97

49 *cuarenta y nueve*

A Este perro quiere coger al gato, pero no le es posible. No puede cogerlo porque e gato está en el tejado de una casa.

B Este gato quiere coger a los pájaros per no puede cogerlos porque están volando Los gatos no pueden volar porque n tienen alas. ¡Qué pena!

C Estos chicos quieren ver la película, per no pueden entrar en el cine porque todaví no tienen dieciséis años.

D En esta habitación hay seis personas y sól cuatro sillas. Dos personas no pueden sen tarse porque no hay bastantes sillas.

E Esta señora quiere cruzar la calle, pero n puede, porque hay demasiado tráfico.

F Este niño no puede ver, porque tiene lo ojos cerrados. Ahora sí puede ver bien porque tiene los ojos abiertos.

G Estos turistas quieren entrar en el museo, pero no pueden porque todavía está cerrado. Son las ocho y media.

H Ahora son las nueve. Las puertas del museo están abiertas y los turistas pueden entrar.

Preguntas

1 ¿Qué quiere hacer el perro?
2 ¿Por qué no puede cogerlo?
3 ¿Qué quiere hacer el gato?
4 ¿Por qué no puede cogerlos?
5 ¿Por qué no pueden volar los gatos?
6 ¿Qué quieren hacer los chicos?
7 ¿Por qué no pueden entrar en el cine?
8 ¿Cuántas personas pueden sentarse en las sillas?

9 ¿Qué quiere hacer la señora?
) ¿Puede cruzar?
1 ¿Cuándo puede ver el chico?
2 ¿Cuándo no puede ver?
3 ¿Qué quieren hacer los turistas?
4 ¿Por qué no pueden entrar?
5 ¿Qué pueden hacer cuando el museo está abierto?

onversación

yer los alumnos de la clase 3B trabajaron bien. Llegaron al colegio mprano y por la mañana tuvieron una clase de español. En la clase cucharon al profesor, hablaron con él, preguntaron a sus amigos respondieron. Leyeron y escribieron en sus cuadernos. Luego lieron a comer.

¿Qué hicieron Miguel (un alumno de la clase) y su amigo ayer en la clase de español?

¿Qué hicieron tus hermanos ayer por la tarde?

¿Qué hicieron tus padres esta mañana antes de salir de casa?

omposición

as estaciones del año.
stás de vacaciones y escribes una postal a un amigo en Inglaterra.
escribe el clima de la región y el tiempo que hace, *etc.*

99

50 cincuenta

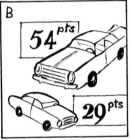

A Vicente tiene cuarenta pesetas y va a un[a] tienda de juguetes. Quiere comprar u[n] coche.

B Hay un coche grande que cuesta cincuent[a] y cuatro pesetas y un coche pequeño qu[e] cuesta veintinueve pesetas. Puede compr[ar] el coche pequeño, pero no puede compr[ar] el coche grande, porque no tiene bastan[te] dinero. Tiene que volver a casa, porqu[e] prefiere el coche grande.

C Quiere cruzar la calle, pero no pued[e] porque hay demasiado tráfico y tiene q[ue] esperar en el semáforo para cruza[r]. Cuando el semáforo se pone rojo, l[os] coches tienen que pararse.

D Cuando se paran los coches, Vicente pue[de] cruzar.

Preguntas

1 ¿Adónde va Vicente?
2 ¿Cuánto dinero tiene?
3 ¿Qué quiere hacer?
4 ¿Qué coche cuesta 54 pesetas?
5 ¿Cuánto cuesta el otro coche?
6 ¿Qué coche puede comprar?
7 ¿Por qué no puede comprar el coc[he] grande?
8 ¿Qué coche prefiere?
9 ¿Qué tiene que hacer?
10 ¿Por qué no puede cruzar la calle?
11 ¿Qué tiene que hacer?
12 ¿Qué tienen que hacer los coches cuan[do] el semáforo se pone rojo?
13 ¿Qué puede hacer Vicente luego?

100

Al llegar al edificio donde vive, Vicente no tiene que llamar al ascensor porque ya está allí, con la puerta abierta (E). Vicente vive en el piso número diez, pero no puede alcanzar el botón, porque es demasiado pequeño. ¡Qué pena! Tiene que apretar el botón número ocho (F). Al llegar el ascensor al piso número ocho, tiene que salir del ascensor y subir por la escalera hasta su piso.

Preguntas

1 ¿Por qué no tiene Vicente que llamar al ascensor?
2 ¿Tiene que abrir la puerta?
3 ¿Por qué?
4 ¿Dónde vive Vicente?
5 ¿Por qué no puede apretar el botón?
6 ¿Por qué no puede alcanzarlo?
7 ¿Qué tiene que hacer?
8 ¿Qué tiene que hacer al llegar al piso número ocho?

Conversación 1

noche (ayer por la noche), mi familia y yo fuimos al cine. Cenamos, limos de casa y cogimos el autobús. Llegamos a la estación, donde peramos un tren. Diez minutos más tarde subimos al tren. ntramos en el cine a las 7.30. Nos gustó la película muchísimo. ambién nos gustaron los helados que comimos y la coca-cola que bimos. Volvimos a casa a medianoche.

Cuando Vds. fueron al cine la última vez, ¿a qué hora volvieron a casa?
¿Qué hicieron Vds. antes de salir de casa?
¿Cómo fueron Vds. hasta el cine?
¿A qué hora empezó la película?
¿Tomaron Vds. algo en el cine?
¿Qué hicieron Vds. al terminar la película?
¿A qué hora llegaron a casa?
¿Qué hicieron Vds. antes de acostarse?

Conversación 2

¿Qué hiciste el fin de semana pasado?
(Puedes escoger tu respuesta de esta lista).

Leí un periódico, un libro . . .
Escribí a un amigo, a una amiga . . .

Ayudé a mi madre, a mi padre, en la cocina . . .
Desayuné, comí, cené, a las . . .
Fui a la piscina, al teatro . . .
Visité a mi abuelo, a mi amigo . . .
Me quedé en casa por la tarde, por la mañana . . .
Escuché la radio, ví la televisión, jugué al fútbol . . .
Me levanté, me puse una camisa, *etc* . . .
Me limpié los dientes . . .
Lavé mi falda, el coche . . .

Forma doce oraciones

Pepe no lleva	paraguas abrigo sombrero mucha ropa	porque va a hacer	buen tiempo. sol. calor.

Escribe al dictado del profesor:
El texto de la conversación 47.

Pronuncia los precios y escríbelos.
54 pts.   29 pts.   16 pts.   31 pts.   47 pts.   99 pts.   63 pts.
84 pts.   77 pts.   100 pts.

Composición
Mira la conversación 46 y escribe la historia como si fueras tú.

una llave

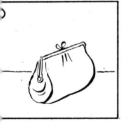

Al llegar a su piso Vicente busca su llave (**A**) en el bolsillo del pantalón pero no la encuentra (**B**). No sabe dónde está. Por eso tiene que llamar a la puerta.

Su madre está viendo su programa preferido de televisión. Cuando su hijo llama a la puerta, se pone un poco enfadada con él (**C**). Se levanta del sillón, abre la puerta y vuelve al programa. Vicente le dice: 'Mamá, necesito más dinero porque quiero comprar un coche grande. ¿Puedes darme 14 pesetas más?' 'Sí, están en mi monedero,' (**D**) responde ella sin mirar a su hijo.

Vicente busca el monedero, pero no lo encuentra. No sabe dónde está. '¿Dónde está tu monedero mamá?', dice el chico. 'En mi bolso,' dice ella (**E**).

'Pero no sé tampoco dónde está tu bolso', dice él. 'Pues mira en la cocina, niño, y déjame en paz'. El chico busca otra vez, y por último encuentra el monedero. Saca las 14 pesetas que necesita y sale corriendo (**F**), dejando el bolso y el monedero abiertos en la mesa (**G**).

Preguntas

1 ¿Qué hace Vicente al llegar a casa?
2 ¿Dónde busca la llave?
3 ¿Por qué tiene que llamar?
4 ¿Qué está haciendo su madre?
5 ¿Está contenta cuando llama su hijo?
6 ¿Qué hace su madre?
7 ¿Qué le dice Vicente?
8 ¿Por qué no le mira su madre cuando responde?
9 ¿Dónde está el dinero?
10 ¿Sabe Vicente dónde está?
11 ¿Qué le pregunta a su madre luego?
12 ¿Y qué le dice la segunda vez?
13 ¿Sabe él dónde está el bolso?
14 ¿Dónde lo encuentra por último?
15 ¿Cómo sale de la cocina?
16 ¿Cómo deja el monedero y el bolso?
17 ¿Por qué no los cierra?

Conversación

1 ¿Sabes dónde están Barcelona y El Dorado?
2 ¿Sabes andar en bicicleta y conducir un coche?
3 ¿Sabes hablar español y portugués?
4 Un bebé de seis meses, ¿sabe andar?
5 ¿Puedes correr y volar?
6 ¿Puedes levantar un cuchillo y un avión?
7 ¿Cuántos días a la semana tienes que ir al colegio?
8 ¿Qué tienes que hacer en las clases de español?
9 ¿Qué tienes que llevar cuando llueve?
10 ¿Para qué sirve una llave?
11 ¿Para qué sirve un bolígrafo?
12 ¿Para qué sirven las cucharas, los cuchillos y los tenedores?

Quiere decir

La palabra 'edificio' quiere decir 'building' en inglés. 'Fountain' quiere decir 'fuente' en español. 'Anoche' quiere decir 'ayer por la noche' en español también:

'Por lo general' quiere decir 'generalmente'. 'Al llegar' quiere decir 'cuando llega'. 'Al entrar' quiere decir 'cuando entra'.

¿Qué quiere decir en inglés 'la última vez'?
¿Qué quiere decir en inglés 'no sabe dónde está'?
¿Qué quiere decir en inglés 'también'?
¿Qué quieren decir en español las frases: 'al llegar', 'al salir', y 'al encontrar la llave'?

¿Cuántas oraciones puedes formar?

Mi	hijo amigo hermano padre	y yo	queremos podemos tenemos que preferimos	jugar al cricket. escribir muchas cartas. cantar muy bien. estudiar mucho.

Escribe al dictado del profesor:
El texto de la conversación 48.

Pronuncia los precios y escríbelos.
4 pts.   38 pts.   24 pts.   71 pts.   55 pts.   100 pts.   93 pts.
2 pts.   15 pts.   80 pts.

Composición
Mira la conversación 48 y escribe la historia como si fuera tu amigo.

Summary of Grammar

Accentuation
If a Spanish word ends in a vowel, in 'n' or in 's' it is stressed on the syllable before last.

casa, regalo, joven, agosto, hija

But, if the pronunciation does not follow the rule, the accent is written over the syllable which is stressed.

jardín, está, aquí, París, fábrica sábado, detrás, América

If a word ends in a consonant other than 'n' or 's' it is stressed on the last syllable.

mujer, ciudad, profeso hospital

But, if the pronunciation does not follow the rule, the accent is written over the syllable which is stressed.

árbol, lápiz, azúcar

Question words have an accent written on the stressed syllable.

¿Quién es? ¿Qué hace? ¿Cuánd vas?
¿Cómo estás? ¿Dónde está? ¿Pc qué?

But, a verb at the beginning of a question is not accentuated.

¿Vienes al cine? ¿Sabe Vc cocinar?

Accents are used to make a diphthong ('i' or 'u' with 'a', 'e', or 'o') into two separate syllables.

día, María, continúa, todavía

Accents are used to discriminate between two similarly spelt words which have different functions.

el hombre/él viene
Sí, señor/si quieres ir
yo sé/se llama
¿Te gusta el té?

Indefinite articles 'a', 'some'

	Masculine	Feminine
Singular	un	una
Plural	unos	unas

un coche, un chico, una casa
unos calcetines, unas camisas

Definite Article 'the'

	Masculine	Feminine
Singular	el	la
Plural	los	las

el avión, el padre, la puerta
los dibujos, las ventanas

Masculine Contraction with 'a', 'de'

	Masculine	Feminine
Singular	al	a la
Plural	a los	a las
Singular	del	de la
Plural	de los	de las

Voy al cine. Voy a la piscina.

La mesa del profesor.
La mesa de la profesora.

Nouns

Singular	−o	−a
Plural	−os	−as

El libro, la cama, la chica
Los libros, las camas, las chicas

Nouns of both genders ending in consonants or *e* add '*es*' or '*s*' respectively.

Flor/flores;   jardín/jardines;
árbol/árboles; pupitre/pupitres;
vacación/vacaciones
Exceptions:
una radio, una mano, un día, un mapa, el agua fría (*avoiding* 'la agua')

107

Adjectives

These are formed in the same way as the nouns and agree with them in gender and number. In nearly all cases, adjectives come after nouns.

La planta baja. El libro rojo.
Los patios grandes, (pequeños).
Las regiones grandes, (frías).

Possessive adjectives

Singular Owner		Plural Owner
mi	mis	nuestro(s)
		nuestra(s)
tu	tus	vuestro(s)
		vuestra(s)
su	sus	su(s)

Aquí está mi padre.
Aquí están mi madre y mis hermanos.
Nuestra casa está a la izquierda.
Nuestras camisas están limpias.
Me gustan sus amigos (de él)
　　　　　　　　　(de ella)
　　　　　　　　　(de usted)
　　　　　　　　　(de
　　　　　　　　　　ustedes)
　　　　　　　　　etc.

These agree in number and gender with the noun owned, not the owner.

Comparison of adjectives
Madrid es más grande que Barcelona.
Mi hermana es más rubia que mi madre.
El es mayor que yo.
Soy menos gordo que mi hermano.
Ella es menor que tú.

Other adjectives
Hay muchas personas en el cuarto.
Algunos alumnos lo dicen.

Hay pocos árboles aquí.
Todos los chicos están sentados.

Negatives
Verbs are made negative simply by stating 'no' beforehand.
Está aquí. No está aquí. Viene todos los días, pero no viene hoy.
¿Cuándo va al teatro?—No va nunca. (*never*)
¿Quién está en el comedor? No hay nadie. (*no-body*)
¿Qué hay en el cajón? No hay nada. (*nothing*)

VERBS
1. Regular Verbs
Simple Present Tense

First conjugation (hablar)		*Second conjugation* (comer)		*Third conjugation* (vivir)	
hablo	hablamos	como	comemos	vivo	vivimos
hablas	habláis	comes	coméis	vives	vivís
habla	hablan	come	comen	vive	viven

Continuous Present Tense

estoy hablando estás hablando, *etc.*	estoy comiendo	estoy viviendo

Immediate Future Tense

voy a hablar	voy a comer	voy a vivir

Simple Past or Preterite Tense

hablé	hablamos	comí	comimos	viví	vivimos
hablaste	hablasteis	comiste	comisteis	viviste	vivisteis
habló	hablaron	comió	comieron	vivió	vivieron

Imperative

habla	hablad	come	comed	vive	vivid

2. Verbs with Spelling Changes
Buscar (Preterite): busqué, buscaste, buscó, *etc.* (*also*, sacar, secar, tocar)

Cruzar	(Preterite): crucé, cruzaste, cruzó, *etc.*
Alcanzar	(Preterite): alcancé, alcanzaste, alcanzó, *etc.*
Llegar	(Preterite): llegué, llegaste, llegó, *etc.* (*also*, jugar)
Leer	(Preterite): leí, leíste, leyó, leímos, leísteis, leyeron
	(Present Participle): leyendo
(Es)coger	(Present): cojo, coges, coge, *etc.*
Continuar	(Present): continúo, continúas, continúa, continuamos, continuáis, continúan

3. Verbs with Root Changes – Present Tense

Certain verbs are quite regular in their formation except that the stressed vowel in the stem or root changes. When the vowel is not stressed there is no change. This occurs in the plural forms of the first and second person. One example of each type is given:

Type A: Root 'O' or 'U' changes to 'UE'
Encontrar

encuentro	encontramos	*also:* acostar(se), costar, dormir,
encuentras	encontráis	jugar, llover, mostrar, poder,
encuentra	encuentran	volar, volver

Type B: Root 'E' changes to 'IE'
Cerrar

cierro	cerramos	*also:* apretar, despertarse, empezar,
cierras	cerráis	nevar, preferir, sentarse
cierra	cierran	

Type C: Root 'E' changes to 'I'
Servir

sirvo	servimos	*also:* vestirse
sirves	servís	
sirve	sirven	

4. Irregular Verbs

Andar	(Preterite): anduve, anduviste, anduvo, anduvimos, *etc.*
Caer	(Present): caigo, caes, cae, *etc.*
Dar	(Present): doy, das, da, *etc.*
	(Preterite): di, diste, dio, dimos, disteis, dieron
Decir	(Present): digo, dices, dice, decimos, decís, dicen
	(Preterite): dije dijiste, dijo, dijimos, dijisteis, dijeron
	(Participle): diciendo
Estar	(Present): estoy, estás, está, estamos, estáis, están
	(Preterite): estuve, estuviste, estuvo, estuvimos, estuvisteis

Hacer (Present): hago, haces, hace, *etc.*
(Preterite): hice, hiciste, hizo, hicimos, hicisteis, hicieron
(Imperative): haz, haced

Ir (Present): voy, vas, va, *etc.*
(Preterite): fui, fuiste, fue, fuimos, fuisteis, fueron
(Participle): yendo
(Imperative): ve, id

Oír (Present): oigo, oyes, oye, oímos, oís, oyen
(Preterite): oí, oíste, oyó, oímos, oísteis, oyeron

Poder (Present): puedo, puedes, puede, podemos, podéis, pueden
(Preterite): pude, pudiste, pudo, pudimos, pudisteis, pudieron
(Participle): pudiendo

Poner (Present): pongo, pones, pone, *etc.*
(Preterite): puse, pusiste, puso, pusimos, pusisteis, pusieron
(Imperative): pon, poned

Querer (Present): quiero, quieres, quiere, queremos, queréis, quieren
(Preterite): quise, quisiste, quiso, quisimos, quisisteis, quisieron

Saber (Present): sé, sabes, sabe, *etc.*
(Preterite): supe, supiste, supo, *etc.*

Tener (Present): tengo, tienes, tiene, tenemos, tenéis, tienen
(Preterite): tuve, tuviste, tuvo, *etc.*
(Imperative): ten, tened

Salir (Present): salgo, sales, sale, *etc.*
(Imperative): sal, salid

Ser (Present): soy, eres, es, somos, sois, son
(Preterite): fui, fuiste, fue, fuimos, fuisteis, fueron
(Imperative): sé, sed

Venir (Present): vengo, vienes, viene, venimos, venís, vienen
(Preterite): vine, viniste, vino, vinimos, vinisteis, vinieron
(Participle): viniendo; (Imperative): ven, venid

Ver (Present): veo, ves, ve, *etc.*; (Preterite): vi, viste, vio, *etc.*
(Participle): viendo; (Imperative): ve, ved

5. Reflexive Verbs

These verbs follow the same pattern as the other regular verbs above,
the only difference being the addition of reflexive pronouns.

Llamarse (The infinitive has the pronoun added to it).

(Yo) me llamo	(Nosotros)nos llamamos
(Tu) te llamas	(Vosotros)os llamáis
(El) se llama	(Ellos)se llaman
(Ella) se llama	(Ellas)se llaman
(Usted)se llama	(Ustedes)se llaman

Pronouns

Subject Pronouns

These are shown above and are often omitted in Spanish, since the verb endings usually indicate the subject.

Reflexive Object Pronouns

These are also shown above but are never omitted, otherwise the verb would no longer be reflexive.

Direct Object Pronouns

These stand for nouns which are direct objects of verbs.

	Masculine	Feminine
Singular	lo	la
- Plural	los	las

Inés coge **el periódico** y **lo** lee.
Juan coge **las gafas** y **las** limpia.

Indirect Object Pronouns

These stand for nouns which are indirect objects of verbs.

	Masculine and Feminine		
Singular	me	te	le
Plural	nos	os	les

Mi mamá **me** da mucho dinero.
Cuando veo a mi amigo,

le digo '¡Holá!'
El oficial **le** da su pasaporte.

Pronouns after prepositions

Singular	Plural
mí	nosotros (as)
ti	vosotros (as)
él (ella)	ellos (as)
usted	ustedes

delante de **mí**
cerca de **ti**
lejos de **nosotros**
para **ustedes**

Pronouns after infinitives
Just as the reflexive pronoun is added to the infinitive of the reflexive
verb, other object pronouns are joined to other infinitives.
   Quiere comer**lo**. ¿Vas a levantar**te**? ¿Puedes ver**la**?
   ¿Qué van a dar**me**? ¿Sabes abrir**los**? ¿Tienes que escribir**las**
   ahora?
   Después de preparar**nos** vamos a salir con ustedes.

Pronouns after participles
   Están lavándo**se**. Estamos leyéndo**lo**. Estoy mirándo**las**.
   Note that accents have to be written on the stressed syllables now
   that an extra syllable has been added.

Personal 'a'
If the direct object of a verb is a person the Spanish say 'a' before it.
   Veo la casa y veo a Carmen. Busco un libro y busco a mi madre.

Numerals

uno	once	veintiuno	treinta y uno
dos	doce	veintidós	treinta y dos
tres	trece	veintitrés	treinta y tres
cuatro	catorce	veinticuatro	cuarenta
cinco	quince	veinticinco	cincuenta
seis	dieciséis	veintiséis	sesenta
siete	diecisiete	veintisiete	setenta
ocho	dieciocho	veintiocho	ochenta
nueve	diecinueve	veintinueve	noventa
diez	veinte	treinta	cien (ciento)

Ordinals	*Days*	*Months*		*Seasons*
primer (primero)	lunes	enero	julio	primavera
segundo	martes	febrero	agosto	verano
tercer (tercero)	miércoles	marzo	septiembre	otoño
cuarto	jueves	abril	octubre	invierno
último	viernes	mayo	noviembre	
	sábado	junio	diciembre	
	domingo			

Note
'y' is changed to 'e' before an 'i' or 'y'.   Francia e Inglaterra
'o' is changed to 'u' before an 'o'.   siete u ocho días

Vocabulary

a, *to, at*
un abrigo, *overcoat*
abril, *April*
abrir, *to open*
un(a) abuelo(a), *grandparent*
un acento, *accent*
acostarse, *to go to bed*
una actividad, *activity*
además, *moreover, as well*
adiós, *hello, goodbye*
adónde, *where*
la aduana, *customs*
un aeropuerto, *airport*
agosto, *August*
el agua (f), *water*
ahora, *now*
al (a la), *to the, at the*
una ala, *wing*
una alacena, *wall-cupboard*
alcanzar, *to reach*
una aldea, *village*
la alegría, *happiness*
un alfabeto, *alphabet*
algo, *something*
algun(o)(a), *some*
alrededor de, *around*
alto(a), *high, tall*
un(a) alumno(a), *pupil*
allí, *there*
amarillo(a), *yellow*
un(a) amigo(a), *friend*
andar, *to walk*
un animal, *animal*
anteayer, *the day before yesterday*
antes de, *before*
un año, *year*
apretar, *to press*
aquí, *here*
un árbol, *tree*
un armario, *cupboard*

el arte, *art*
artificial, *artificial*
un artista, *artist*
un ascensor, *lift*
así, *so, like this*
una asignatura, *school subject*
la atención, *attention*
un atlas, *atlas*
un autobús, *bus*
un avión, *plane*
ayer, *yesterday*
ayudar, *to help*
el azúcar, *sugar*
una azucarera, *sugar bowl*
azul, *blue*

bajar, *to go down*
bajo(a), *short, low*
un balcón, *balcony*
un banco, *bank*
una bandeja, *tray*
bañarse, *to bathe, swim*
un baño, *bath*
una barba, *beard*
un barco, *boat*
bastante, *enough*
una bata, *dressing-gown*
un bebé, *baby*
beber, *to drink*
una bebida, *drink*
una biblioteca, *library*
una bicicleta, *bicycle*
bien, *well*
la biología, *biology*
blanco(a), *white*
una blusa, *blouse*
una boca, *mouth*
una bola, *ball*
un bolígrafo, *biro*
un bolso, *handbag*
un bolsillo, *pocket*

114

un borrador, *board eraser*
una botella, *bottle*
un botón, *button*
un brazo, *arm*
  bueno(a), *good*
  buscar, *to look for*

una cabeza, *head*
una cacerola, *pot, saucepan*
  cada, *each*
  caer, *to fall*
el café, *coffee, café*
una cafetera, *coffee-pot*
una caja, *box*
un cajón, *drawer*
un calcetín, *sock*
un calendario, *calendar*
  calentar, *to heat up*
  caliente, *hot*
una calle, *street*
una cama, *bed*
un camarero, *waiter*
una camisa, *shirt*
un camisón, *night shirt*
el campo, *countryside*
un campo, *field*
  cantar, *to sing*
una capital, *capital*
una cara, *face*
  ¡caramba! *goodness!*
la carne, *meat*
una carta, *letter*
una cartera, *briefcase*
una casa, *house*
  castaño(a), *chestnut, brown*
  celebrar, *to celebrate*
una cena, *supper, dinner*
  cenar, *to have dinner*
  central, *central*
  centrífugo(a), *centrifugal*
un centro, *centre*
un cepillo, *brush*
  cerca de, *near to*
  cerrar, *to shut, close*
el cielo, *sky*
la ciencia, *science*
un cine, *cinema*

una cinta, *ribbon*
una ciudad, *city*
  claro(a), *light, clear(ly)*
una clase, *class(room)*
el clima, *weather*
una cocina, *kitchen, cooker*
  cocinar, *to cook*
un coche, *car*
  coger, *to take, catch*
una cola, *tail*
un colegio, *secondary school*
un color, *colour*
un comedor, *dining-room*
  comer, *to eat, lunch*
la comida, *food, lunch*
  cómo, *how?*
una cómoda, *dressing-table*
  completo(a), *complete*
una composición, *composition*
  comprar, *to buy*
  con, *with*
  conducir, *to drive*
  conservar(se), *to keep*
  contento(a), *contented*
  continuar, *to continue*
una conversación, *conversation*
  copiar, *to copy*
una corbata, *tie*
  corto(a), *short, cut*
el correo, *mail, post office*
  correos, *post office*
  correr, *to run*
una cosa, *thing*
  costar, *to cost*
la crema, *cream*
la crema de dientes,
    toothpaste
una criada, *maid*
  cruzar, *to cross*
un cuaderno, *exercise-book*
  cuál(es), *which?*
  cuándo, *when?*
  cuánto(a)(s), *how much?*
      how many?
un cuarto, *room, quarter*
un cuarto de baño,
    bathroom

un cuarto de estar, *sitting-room*
un cubierto, *place at table*
una cuchara, *spoon*
un cuchillo, *knife*
un cuerpo, *body*
un cumpleaños, *birthday*

una chaqueta, *jacket*
un(a) chico(a), *boy, girl*

dar, *to give*
de, *of, from*
decir, *to say*
dejar, *to leave*
del(de la), *of the, from the*
delante de, *in front of*
deletrear, *to spell*
delgado(a), *thin, slim*
demasiado, *too, too much*
una dependienta, *salesgirl*
derecho(a), *right*
desayunar, *to breakfast*
el desayuno, *breakfast*
describir, *to describe*
una descripción, *description*
desde, *from*
un despacho, *study*
despertarse, *to wake up*
después de, *after*
detrás de, *behind*
un día, *day*
dibujar, *to draw*
un dibujo, *drawing*
diciembre, *December*
un diente, *tooth*
el dinero, *money*
doméstico, *domestic*
domingo, *Sunday*
don, doña, *(familiar title)*
dormir, *to sleep*
dormirse, *to go to sleep*
un dormitorio, *bedroom*
dónde, *where?*
una ducha, *shower*
durante, *durante*
durar, *to last*

e, *and*
echar, *put, pour, throw*
la edad, *age*
un edificio, *building*
un ejercicio, *exercise*
el, *the*
él, *he*
eléctrico(a), *electric*
ella, *she*
ellos(as), *they*
empezar a, *to begin*
en, *in, into, on*
encontrarse con, *to meet*
enero, *January*
enfadado(a), *annoyed*
una enfermera, *nurse*
enfrente, *in front, opposite*
una ensalada, *salad*
enseñar, *to show, teach*
entrar en, *to go in*
entre, *between*
eres, *see* 'ser'
es, *see* 'ser'
una escalera, *stairs*
escoger, *to choose*
escribir, *to write*
escribir a máquina, *to type*
escuchar, *to listen*
una escuela, *school*
ese(a)(o), *that*
por eso, *for that reason*
español(a), *Spanish*
un espejo, *mirror*
esperar, *to wait*
un(a) esposo(a), *husband, wife*
una esquina, *street corner*
una estación, *station, season*
un estante, *shelf*
estar, *to be*
este, esta, esto, *this*
el este, *east*
estudiar, *to study*
un estudio, *studio*

una fábrica, *factory*
una falda, *skirt*

una familia, *family*
por favor, *please*
febrero, *February*
una fecha, *date*
feliz, *happy*
un fin de semana, *weekend*
la física, *physics*
una flor, *flower*
un florero, *vase, pot*
formar, *form, make*
una foto(grafía), *photo*
francés(esa), *French*
una frase, *phrase*
un fregadero, *sink*
fregar, *to wash up*
fresco(a), *fresh, cold*
frío(a), *cold*
una frontera, *frontier*
una fruta, *fruit*
fue, *was, went*
un fuego artificial, *firework*
una fuente, *fountain*
fumar, *to smoke*
el fútbol, *football*

unas gafas, *spectacles*
un garaje, *garage*
el gas, *gas*
un gato, *cat*
generalmente, *generally*
general, por lo . . . ,
    generally
la gente, *people*
la geografía, *geography*
una goma, *rubber, eraser*
gordito(a), *plump*
gracias, *thanks*
gran(de), *great, big, large*
gris, *grey*
un grupo, *group*
guardar, *to keep, guard*
gustar, *to please*

una habitación, *room*
hablar, *to speak*
hace x días, *x days ago*
hacer, *to do, make*

hace buen tiempo, *it is fine*
hace calor, *it is hot*
    frío, *it is cold*
    mal tiempo, *it is poor*
    sol, *it is sunny*
    viento, *it is windy*
hasta, *until, as far as*
hay, *there is, there are*
un helado, *ice cream*
un(a) hermano(a), *brother,*
    sister
un(a) hijo(a), *son, daughter*
la historia, *history, story*
una hoja, *leaf*
un hombre, *man*
una hora, *hour*
un horario, *timetable*
¡que horror! *how terrible!*
un hospital, *hospital*
un hotel, *hotel*
hoy, *today*
un huevo, *egg*

un idioma, *language*
una iglesia, *church*
una ilustración, *picture*
importante, *important*
indicar, *to indicate*
inglés(esa), *English*
el invierno, *winter*
ir, *to go*
una isla, *island*
izquierdo(a), *left*

el jabón, *soap*
un jardín, *garden*
un jarro, *jug*
un jet, *jet plane*
joven, *young*
jueves, *Thursday*
jugar, *to play*
un juguete, *toy*
julio, *July*
junio, *June*

la(s), *the (f)*
al lado de, *next to, beside*
un lápiz, *pencil*

117

lavar(se), *to wash (oneself)*
una lección, *lesson*
la leche, *milk*
una lechuga, *lettuce*
leer, *to read*
lejos de, *far from*
una letra, *a letter*
levantar(se), *to lift, get up,*
un libro, *book*
limpiar(se), *to clean (oneself)*
limpio(a), *clean*
una lista, *list*
los(m), las (f), *the*
luego, *then, next*
lunes, *Monday*

llamar(se), *to call, be called*
una llanura, *plain, flat country*
una llave, *key*
llegar, *to arrive*
llevar, *to wear, carry, take*
llevar puesto, *to wear,*
  have on
llover, *to rain*

una madre, *mother*
mal, *badly*
una maleta, *suitcase*
unas mallas, *tights*
una mano, *hand*
la mantequilla, *butter*
una manzana, *apple*
mañana, *tomorrow*
una mañana, *morning*
un mapa, *map*
el mar, *sea*
un marido, *husband*
marrón, *brown*
martes, *Tuesday*
marzo, *March*
más, *more*
las matemáticas, *maths*
mayo, *May*
mayor, *older, greater*
un mecánico, *mechanic*
una mecanógrafa, *typist*
un médico, *doctor*

medio(a), *half*
en medio de, *in the middle of*
menor, *younger, less,*
  smaller
menos, *less, minus*
la mermelada, *marmalade*
un mes, *month*
una mesa, *table*
meter, *to put into*
mi(s), *my*
miércoles, *Wednesday*
un minuto, *minute*
mirar, *to look at, watch*
un modelo, *model*
un monedero, *purse*
una montaña, *mountain*
moreno(a), *brown, dark*
mostrar, *to show*
mucho(a), *a lot*
un mueble, *piece of furniture*
una mujer, *woman, wife*
un museo, *museum, art*
  gallery
la música, *music*
muy, *very*

nada, *nothing*
nadar, *to swim*
una nariz, *nose*
la Navidad, *Christmas*
necesario, *necessary*
necesitar, *to need*
negro(a), *black*
nevar, *to snow*
una nevera, *fridge*
un nido, *nest*
la nieve, *snow*
un(a) niño(a), *small child*
no, *no, not*
una noche, *night*
un nombre, *name*
el norte, *north*
nosotros(as), *we, us*
noviembre, *November*
una nube, *cloud*
nuestro(a), *our*
un número, *number*

118

nuestro(a), *our*
un número, *number*

o, *or*
un obrero, *worker*
octubre, *October*
el oeste, *west*
un oficial, *official*
una oficina, *office*
oír, *to hear*
un ojo, *eye*
una oración, *sentence*
oscuro(a), *dark, dim*
el otoño, *autumn*
otro(a), *other, another*

un padre, *father*
una página, *page*
un país, *country*
un pájaro, *bird*
una palabra, *word*
el pan, *bread*
un pantalón, *trousers*
para, *for*
una parada, *bus-stop*
un paraguas, *umbrella*
parar(se), *to stop*
un parque, *park*
un pasaporte, *passport*
pasar, *to pass, happen*
la pasta, *paste*
una pata, *paw*
una patata, *potato*
un patio, *patio, yard*
un pato, *duck*
la paz, *peace*
peinar(se), *to comb*
un peine, *comb*
una película, *film*
el pelo, *hair*
la pena, *pain, nuisance*
una península, *peninsula*
pequeño(a), *small*
una pera, *pear*
un periódico, *newspaper*
pero, *but*
un perro, *dog*

una persona, *person*
un pescado, *fish*
una peseta, *peseta*
a pie, *on foot*
de pie, *standing*
un pie, *foot*
una pierna, *leg*
un pijama, *pyjama*
pintar, *to paint*
una pipa, *pipe*
una piscina, *swimming-pool*
un piso, *flat, floor*
una pizarra, *blackboard*
un plano, *plan*
la planta baja, *ground floor*
un plátano, *banana*
un platillo, *saucer*
un plato, *plate, dish*
una plaza, *square*
una pluma, *pen*
un plumier, *pencil case*
poco(a), *little, few*
poder, *to be able, can*
poner(se), *to put on, become*
poner la mesa, *lay the table*
por, *for*
por qué, *why?*
porque, *because*
portugués(esa), *Portuguese*
posible, *possible*
una posición, *position*
una postal, *post card*
un postre, *dessert*
preferido(a), *favourite*
preferir, *to prefer*
una pregunta, *question*
preguntar, *to ask*
preparar, *to prepare*
la primavera, *spring*
primer(o)(a), *first*
un problema, *problem*
un(a) profesor(a), *teacher*
un programa, *programme*
pronto, *quickly, soon*
un pueblo, *town*

una	puerta, *door*		sentar(se), *to sit*
	puesto, *see* 'llevar'		señalar, *to point to*
en	punto, *exactly*		señor(a)(ita), (*titles*)
un	pupitre, *desk*		septiembre, *September*
			ser, *to be*
	que, *which, that, than*	un	servicio, *toilet*
	qué, *what?*		servir, *to serve*
	quedar(se), *to remain, stay*		sí, *yes*
	querer, *to love, want*	una	siesta, *siesta*
	querer decir, *to mean*	una	silla, *chair*
el	queso, *cheese*	un	sillón, *armchair*
	¿quién(es)? *who?*		sin, *without*
la	química, *chemistry*		situado, *situated*
	quitar(se), *to take off,*		sobre, *on, upon*
	undress		sobre todo, *especially*
		el	sol, *sun*
una	radio, *radio*		solo, *only*
una	rama, *branch*		solo(a), *alone*
una	recepcionista, *receptionist*	un	sombrero, *hat*
	recibir, *to receive*		son, *see* 'ser'
un	recreo, *break time*	la	sopa, *soup*
un	regalo, *present, gift*		soy, somos, *see* 'ser'
una	región, *region*		su, *his, her, its, your*
una	regla, *ruler*		subir, *to go up*
	regular, *regular, fair*		subir a un coche, *to get in*
un	reloj, *watch, clock*		(*a car*)
	repaso, *revision*		sucio(a), *dirty*
	responder, *to answer, reply*	el	sur, *south*
una	respuesta, *answer*		
un	rincón, *corner, angle*	el	tabaco, *tobacco*
un	río, *river*		también, *too, also*
	rojo(a), *red*		tampoco, *neither*
la	ropa, *clothes*		tarde, late
	rubio(a), *fair, blond(e)*	la	tarde, *afternoon, evening*
		una	tarea, *homework, task*
	sábado, *Saturday*	un	taxi, *taxi*
	saber, *to know*	una	taza, *cup*
	sacar, *to take out*		te, *you, yourself*
	salir, *to go out*	el	té, *tea*
	se, *himself, herself,*	un	tejado, *roof*
	itself, yourself	la	televisión, *television*
una	secadora, *drier*		temprano, *early*
	secar(se), *to dry (oneself)*	un	tenedor, *fork*
una	secretaria, *secretary*		tener, *to have, hold*
	segundo(a), *second*		tener que, *to have to*
un	semáforo, *traffic light*		tercer(o)(a), *third*
una	semana, *week*		terminar, *to end*

120

na tetera, *teapot*
un texto, *text*
el tiempo, *time, weather*
na tienda, *shop*
tinto(a), *red (wine)*
tirar, *to throw*
la tiza, *chalk*
na toalla, *towel*
tocar, *to touch, play*
todavía, *still, yet*
todo(a), *all, every*
tomar, *to take*
un tomate, *tomato*
na tortilla, *omelette*
tostado, *toasted*
el trabajo, *work*
trabajar, *to work*
el tráfico, *traffic*
un traje, *suit*
un traje de baño, *swimsuit*
un tren, *train*
na trenza, *plait, pigtail*
tu, *your*
tú, *you*
un turista, *tourist*

u, *or*
último(a), *last*
un(una), *a, one*
usar, *to use*
usted(es), *you*
na uva, *grape*

va, vamos, van, *see* 'ir'
una vacación, *holiday*
un valle, *valley*
un vaso, *glass*
Vd(s)., *see* 'usted'
venir, *to come*
una ventana, *window*
ver, *to see*
el verano, *summer*
verde, *green*
un vestido, *dress*
vestir(se), *to dress*
una vez, *time, once*
dos veces, *twice*
la vida, *life*
viejo(a), *old*
el viento, *wind*
viernes, *Friday*
el vino, *wine*
visitar, *to visit*
vivir, *to live*
volar, *to fly*
volver, *to return, go home*
vosotros(as), *you*
voy, *see* 'ir'

y, *and*
ya, *already, now*
yo, *I*

un zapato, *shoe*